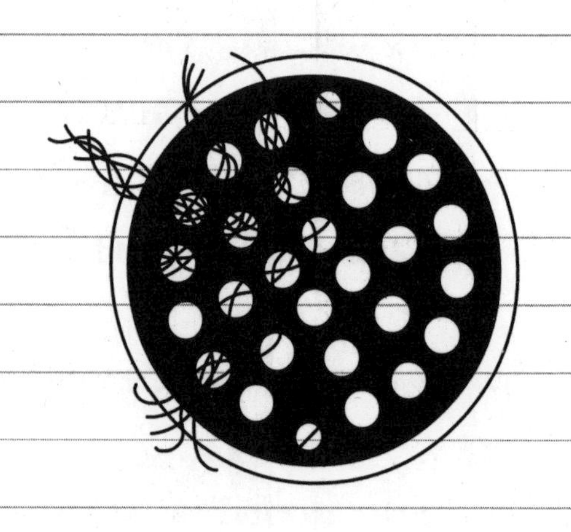

W SERII:

Dziennik cwaniaczka • Rodrick rządzi

Szczyt wszystkiego • Ubaw po pachy

Przykra prawda • Biała gorączka • Trzeci do pary

Zezowate szczęście • Droga przez mękę

Stara bieda • Ryzyk-fizyk • No to lecimy

Jak po lodzie • Totalna demolka • Zupełne dno

Dziennik cwaniaczka. Zrób to sam!

WKRÓTCE:

Jeszcze więcej cwaniaczka!

PRZECZYTAJ TAKŻE:

Dziennik Rowleya. Zapiski chłopca o złotym sercu

Teraz Rowley. Ahoj, przygodo!

Rowley przedstawia. Strasznie straszne opowieści

DZIENNIK CWANIACZKA

TOTALNA DEMOLKA

Jeff Kinney

Tłumaczenie
Joanna Wajs

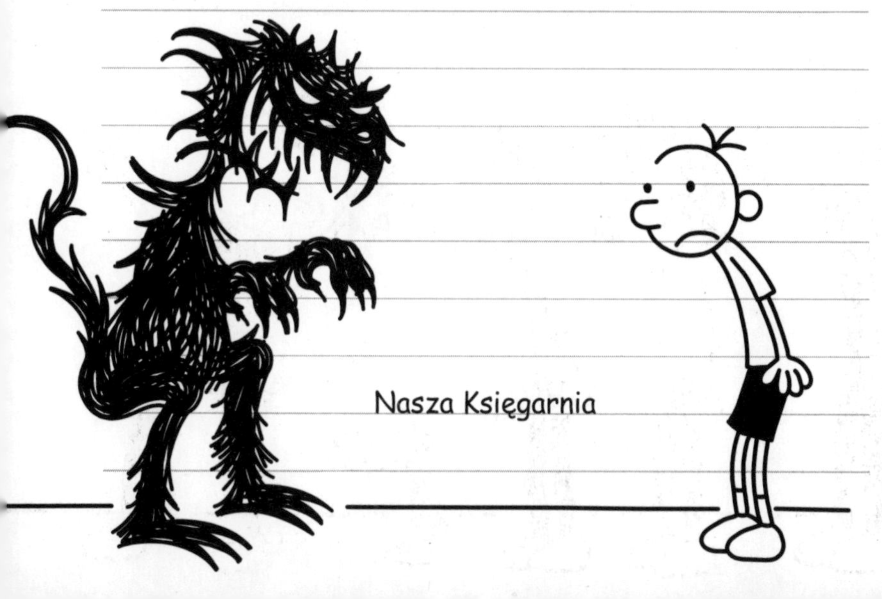

Nasza Księgarnia

Tytuł oryginału angielskiego: *Diary of a Wimpy Kid: Wrecking Ball*

First published in the English language in 2019 by Harry N. Abrams, Incorporated, New York.

Original English title: *Diary of a Wimpy Kid: Wrecking Ball*

Book design by Jeff Kinney
Cover design by Chad W. Beckerman and Jeff Kinney

DLA SCOOTERA

MARZEC

Niedziela

Czytałem gdzieś, że w dawnych czasach królów i faraonów grzebano z całym ich dobytkiem. Ludzie chyba wtedy wierzyli, że można przenieść się w zaświaty RAZEM ze swoimi rzeczami.

No cóż, jeśli ja TEŻ zostanę pochowany z GÓRĄ swoich klamotów, pewnie w przyszłości będę tego ŻAŁOWAŁ.

Ostatnio mama kazała mi zrobić wiosenne porządki, żebym pozbył się gratów, których NIE POTRZEBUJĘ. I to może brzmiało jak plan, dopóki do mnie nie dotarło, jak DUŻO zgromadziłem rupieci.

Cały poranek spędziłem, próbując ogarnąć szafę, i szok, ile przez lata udało mi się do niej wepchnąć. Nie myślcie tylko, że w tym wpychaniu była jakaś METODA. Ja tam po prostu wrzucałem najróżniejsze dinksy, odkąd się wprowadziliśmy.

Nurkowanie w odmętach szafy było trochę jak powrót do DZIECIŃSTWA. A im głębiej się zanurzałem, tym bardziej cofałem się w CZASIE.

Szpargały z samego brzegu wylądowały w szafie w ostatnim roku. Na przykład komiksy czy prace domowe. Ale kiedy zacząłem je rozgarniać, natrafiłem na przedmioty, o których zupełnie już ZAPOMNIAŁEM.

Był wśród nich kostium na Halloween sprzed paru lat. I model rakiety, który dostałem na dziesiąte urodziny. I mnóstwo innych rzeczy, o których w ogóle nie wiedziałem, że je mam.

Przedzierając się W GŁĄB szafy, nagle znalazłem coś, o czym myślałem, że zaginęło bezpowrotnie całe WIEKI temu. Segregator pełen naklejek, które zbierałem w trzeciej klasie.

Kiedyś byłem totalnie ZAKRĘCONY na punkcie naklejek, zwłaszcza tych PACHNĄCYCH, które się POCIERA. Kolekcjonowałem ŁADNE zapachy, takie jak guma do żucia albo wata cukrowa, ale miałem też te naprawdę PASKUDNE.

Więc kiedy jakiś dzieciak z mojej ulicy chciał wiedzieć, jak cuchnie kupa żyrafy albo nieświeży klopsik, przychodził z tym do MNIE.

Pewnego dnia napiszę swoją AUTOBIOGRAFIĘ, w której zaznaczę pachnącymi naklejkami różne WAŻNE momenty.

Przegrzebywałem się dalej przez szafę, aż w końcu dotarłem do klamotów z ZERÓWKI. Między innymi do RYBKI, którą zrobiłem, odrysowując na kartonie kształt swojej dłoni.

W tamtych czasach STRASZNIE lubiłem robótki ręczne. A jak ktoś próbował mi z tego powodu DOKUCZAĆ, zaraz obrywał brokatem.

Innym dziełem, które znalazłem w szafie, był papierowy kwiat z moim zdjęciem pośrodku i z łodygą z patyczka po lodach. Zrobiłem go w przedszkolu dla mamy, ale ona nigdy się o tym nie dowiedziała.

Jeszcze w przedszkolu wetknąłem swój prezent do doniczki z ziemią, a wracając do domu, niechcący go upuściłem, gdy zawadziłem nogą o próg. Właśnie dlatego mama nigdy tego kwiatka nie dostała.

BARDZO się ucieszyłem, gdy w końcu dotarłem do końca szafy, ale będę z wami szczery. Przeżyłem też lekkie ROZCZAROWANIE.

Kojarzycie książkę o tych dzieciakach, które przenoszą się do innego ŚWIATA przez szafę? No więc ja zawsze byłem ciekaw, czy MOJA szafa też coś podobnego potrafi.

Choć pewnie mieszkańcy świata za szafą nie przywitaliby mnie zbyt wylewnie. Ostatecznie przez całe lata rzucałem w nich różnymi MANELAMI.

Kiedy powiedziałem mamie, że skończyłem, ona kazała mi zdecydować, które rzeczy zatrzymam, które oddam biednym, a które wyrzucę. Ja jednak pomyślałem, że skoro już muszę się czegoś pozbyć, to równie dobrze mogę na tym ZAROBIĆ. I zdecydowałem, że urządzę GARAŻOWKĘ.

Mama uznała garażówkę za ŚWIETNY pomysł. Nawet dała mi czasopismo, w którym było opisane, jak taką wyprzedaż ZORGANIZOWAĆ.

Niestety wszystkie porady w tej gazetce były obciachowe i przestarzałe. Nawet propozycje szyldu zwracającego uwagę sąsiadów okazały się ŚMIERTELNIE nudne.

Wiedziałem, że jeśli chcę przyciągnąć ludzi, muszę postawić na MOCNIEJSZY przekaz. No więc wymyśliłem szyld, który naprawdę rzucał się w oczy.

ZNALAZŁEM NA CHODNIKU

100 DOLARÓW.

ZAPRASZAM PO ODBIÓR NA

SURREY STREET 12.

Zrobiłem parę kserokopii tego plakatu i chciałem je porozklejać po okolicy, ale moje ogłoszenie zostało przechwycone, zanim zdążyłem wyjść z domu.

Mama powiedziała, że powinienem BARDZIEJ wzorować się na anonsach z czasopisma, więc przygotowałem ogłoszenia jeszcze raz i powiesiłem je na najbliższych słupach. Potem wytachałem górę rupieci z mojego pokoju i poukładałem na plastikowych stolikach.

Każdy stół miał własną kategorię, na przykład CIUCHY albo KSIĄŻKI. Ale nie zawsze było tak prosto i czasem musiałem wykazywać się kreatywnością.

Całą masę NIETRAFIONYCH upominków od dziadków i innych starszych krewnych umieściłem w tej samej kategorii.

Miałem jeszcze całą furę niepotrzebnych kartek urodzinowych, nadal w dobrym stanie. No więc wymazałem korektorem swoje imię i poustawiałem je na jednym ze stołów.

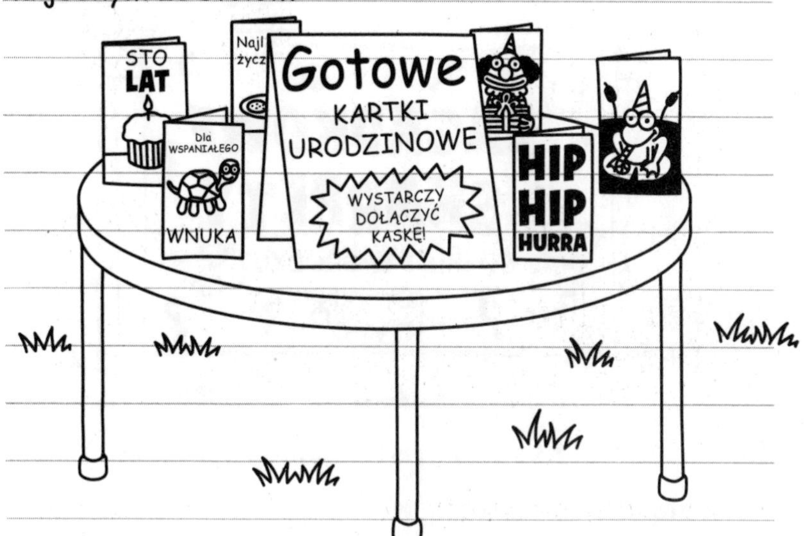

Wszystkie uszkodzone zabawki wysypałem na inny stolik z nadzieją, że smarkacze, którzy nie umieją jeszcze CZYTAĆ, też przyjdą na garażówkę.

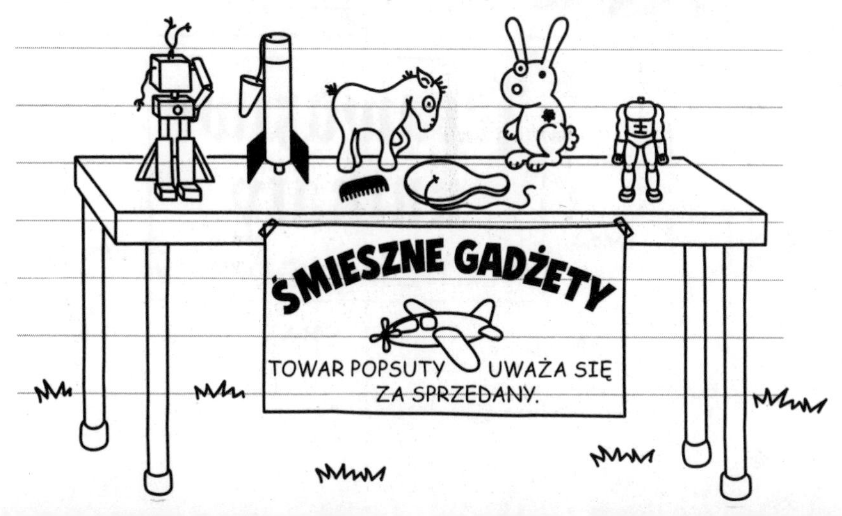

Różne przypadkowe śmieci, takie jak szklane kulki czy ogryzki ołówków, wsadziłem do podkolanówek i przypiąłem pinezkami do jednego z blatów.

Dorzuciłem też specjalny stół dla ludzi, którzy nie mają co robić z kasą.

Na osobnym stoliku wyeksponowałem swoje stare prace plastyczne, na wypadek gdyby jakiś dzieciak potrzebował prezentu dla rodziców i chciał ZAOSZCZĘDZIĆ NA CZASIE.

Już kończyłem przygotowania, kiedy mama wyszła przed dom, żeby rzucić okiem. Wyraźnie była POD WRAŻENIEM, chociaż powiedziała, że powinienem zachować rzeczy, które zrobiłem własnoręcznie, bo one są BEZCENNE.

Odparłem, że jeśli chce coś z tego kupić, NIC nie stoi na przeszkodzie. I wtedy mama zaoferowała trzy dolary za ten papierowy kwiatek, który zrobiłem dla niej w przedszkolu.

Strasznie się na ten kwiatek napaliła i wiedziałem, że dałaby za niego więcej niż trzy dolce, więc oświadczyłem, że sprzedam jej wszystkie moje dzieła za DZIESIĘĆ.

Ale chyba trochę przegiąłem, bo zamiast dobić targu, mama wróciła do domu, nie kupując NICZEGO.

Czekając na pierwszych klientów, nagle zacząłem się STRESOWAĆ. Zrozumiałem, że nikt nie pilnuje moich rzeczy i że każdy może je UKRAŚĆ.

No więc zadzwoniłem do swojego najlepszego przyjaciela, Rowleya Jeffersona, i powiedziałem, żeby przyszedł, bo mam wolne stanowisko INSPEKTORA DO SPRAW ZAPOBIEGANIA KRADZIEŻOM.

Ale Rowley odpowiedział, że nie pomoże mi z garażówką, bo tego popołudnia będzie coś robić ze swoim tatą.

Wtedy oznajmiłem, że awansuję go na DYREKTORA DO SPRAW ZAPOBIEGANIA KRADZIEŻOM i dam mu nawet ODZNAKĘ. No i to na szczęście podziałało.

Gdy tylko Rowley dotarł na miejsce, zaczął się dopominać o ODZNAKĘ. Co prawda znalazłem dla niego tylko stary kostium strażaka, ale on i tak poczuł się w nim WAŻNY.

Rowley spytał, jakie będą jego OBOWIĄZKI jako DYREKTORA DO SPRAW ZAPOBIEGANIA KRADZIEŻOM. Wyjaśniłem, że ma po prostu kręcić się między stoiskami, robiąc groźne miny, żeby ludziom nie przychodziło do głowy nic głupiego.

Ale Rowley WCALE mnie nie słuchał. Patrzył na stolik z prezentami urodzinowymi, które od niego dostałem.

Jestem pewny, że to MAMA Rowleya wybiera wszystkie moje prezenty, bo one zawsze są EDUKACYJNE. Żadnego z tych leżących na stole nawet NIE OTWORZYŁEM, więc były W STANIE IDEALNYM.

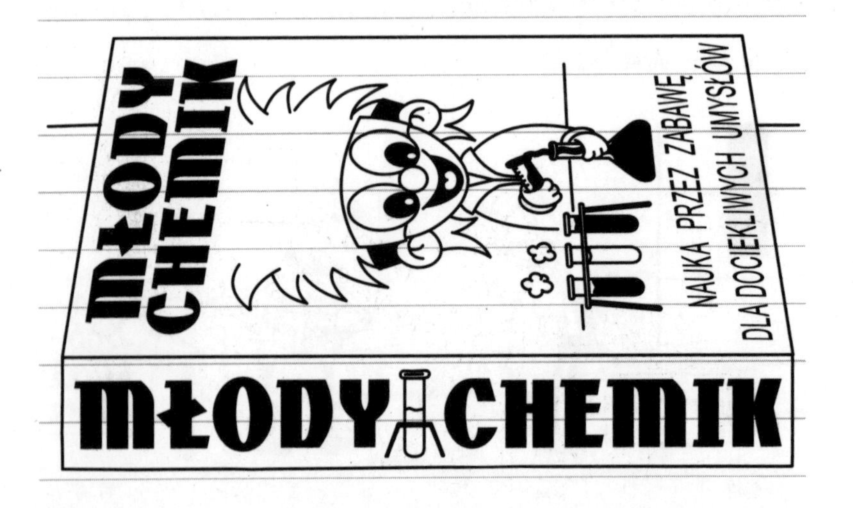

Nie wiem, co bardziej rozwścieczyło Rowleya. To, że wystawiłem prezenty od niego NA SPRZEDAŻ, czy opis na stoliku.

Rowley oświadczył, że nie mogę sprzedawać tych rzeczy, bo one są PREZENTAMI. Odparłem, że jestem ich WŁAŚCICIELEM, więc mogę z nimi robić, co ZECHCĘ. I w ten właśnie sposób zaczęliśmy wyrywać sobie z rąk ŚWIAT MAGNESÓW.

W tej samej chwili zobaczyliśmy pierwszych klientów, więc powiedziałem Rowleyowi, że możemy pokłócić się PÓŹNIEJ, a TERAZ zachowujmy się jak PROFESJONALIŚCI.

Najpierw ludzi było niewielu, ale potem przyszło ich WIĘCEJ. A kiedy kupujący zaczęli oglądać towary, ja TOTALNIE wczułem się w rolę.

Jedna babka zainteresowała się monetą kolekcjonerską, którą dostałem od wujka, ale zauważyła na niej SZCZERBĘ. No więc w przypływie natchnienia powiedziałem, że ten pieniążek jest wyszczerbiony, bo zatrzymał KULĘ podczas drugiej wojny światowej.

Babka chyba mi NIE UWIERZYŁA. Może dlatego, że na monecie była zeszłoroczna data.

Straciłem mnóstwo czasu, próbując sfinalizować swoją pierwszą transakcję, i zacząłem się martwić, czy ludzie czasem mnie nie okradają. Niestety mój DYREKTOR DO SPRAW ZAPOBIEGANIA KRADZIEŻOM okazał się bezużyteczny. Zamiast pracować, bawił się ŚWIATEM MAGNESÓW.

Powiedziałem Rowleyowi, żeby brał się do ROBOTY albo go ZWOLNIĘ. Na co on odparł, że to nie jest PRAWDZIWA robota, ponieważ mu nie płacę.

Wyjaśniłem, że jeszcze NIC nie sprzedałem, więc nie mogę mu ZAPŁACIĆ. Wtedy on oświadczył, że SKŁADA WYPOWIEDZENIE. Na to nie mogłem się zgodzić, dlatego zaproponowałem, żeby sobie wybrał jedną rzecz z któregoś stołu i że TO będzie jego PENSJA.

Rowley ucieszył się jak nie wiem co i byłem na STO PROCENT pewny, że wybierze ŚWIAT MAGNESÓW. Ale on pobiegł do stolika z PRAWDZIWYMI UNIKATAMI.

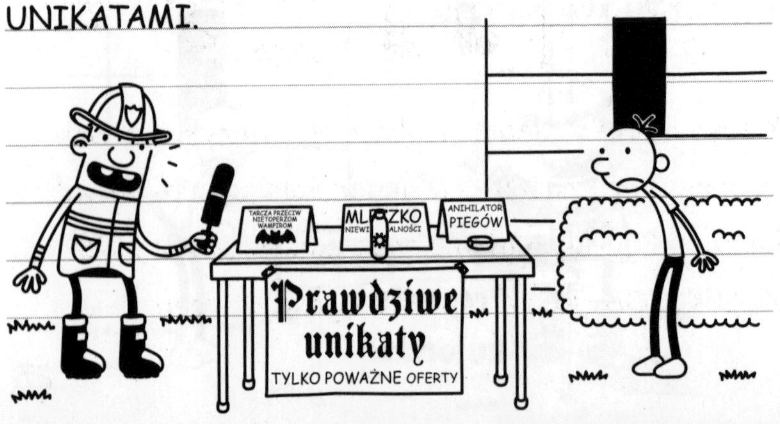

Powiedziałem mu, że te rzeczy są tylko dla GOTÓWKOWYCH klientów i że może sobie coś wybrać ze ŚMIESZNYCH GADŻETÓW. Ale on nie chciał o tym SŁYSZEĆ.

W końcu się zdecydował na TARCZĘ PRZECIW NIETOPERZOM WAMPIROM. Nie miałem z tym problemu, bo to ostatecznie był tylko popsuty parasol. Ale teraz Rowley zaczął świrować ze strachu przed NIETOPERZAMI i TOTALNIE zaniedbał swoje OBOWIĄZKI.

Kiedy on robił z siebie głupka z tym starym parasolem, ja odniosłem wrażenie, że jeden koleś chowa do kieszeni figurkę. No więc podbiegłem do stołu DLA KOLEKCJONERÓW, żeby się z gościem rozprawić.

Ale w jego kieszeniach znalazłem tylko zużyte chusteczki higieniczne i kluczyki do samochodu.

Tak czy inaczej DOBRZE, że zachowałem CZUJNOŚĆ, bo zaraz wypatrzyłem grubszą AFERĘ. Przy krawężniku zatrzymał się nagle pikap i jakiś gostek z Whirley Street zaczął wrzucać moje rzeczy na pakę.

Zapytałem go, co najlepszego WYPRAWIA, a gostek odpowiedział, że następnego dnia wystawia się śmieci, więc pomyślał, że to wszystko jest DO WZIĘCIA.

Nie zdążyłem mu jednak wyjaśnić, na czym polega IDEA garażówki, ponieważ NAGLE zrozumiałem, że mam WIĘKSZY problem.

Zaczęło PADAĆ i ludzie rozbiegli się do swoich samochodów.

Czułem, że już NIGDY nie zgromadzę takich TŁUMÓW, i bardzo chciałem sprzedać COKOLWIEK, żeby mój wysiłek choć trochę się opłacił. No więc obiegłem wszystkie stoliki i obniżyłem ceny.

Wtedy jednak nastąpiło prawdziwe OBERWANIE CHMURY i uznałem, że muszę zrobić coś BARDZIEJ spektakularnego.

Powrzucałem rzeczy do PUDEŁ i zdecydowałem się na JESZCZE większą obniżkę. Ale i na to było już za późno.

Wiedziałem, że jeśli natychmiast nie schowam towaru pod zadaszeniem, będę ZRUJNOWANY. Poprosiłem Rowleya, żeby potrzymał parasol nad najcenniejszymi rzeczami, podczas gdy ja zatacham resztę do garażu.

Niestety Rowley nie okazał się szczególnie pomocny.

Powiedział, że jego zmiana właśnie się skończyła i że musi już iść do domu.

Byłem więc zdany na samego siebie. Próbowałem zataszczyć pudło z komiksami do garażu, ale karton zupełnie PRZEMÓKŁ i dno nagle puściło.

Ze sto razy biegałem tam i z powrotem do garażu. Chyba NIE BYŁO WARTO, bo większość moich rzeczy nie nadawała się już do NICZEGO.

Wtedy zdałem sobie sprawę, że JEDNA transakcja wciąż czeka na finalizację. Powiedziałem mamie, że może mieć ten papierowy kwiatek za trzy dolary. Tylko że ona już się rozmyśliła.

Środa

W sumie nawet się cieszę, że nic nie sprzedałem, bo kiedy zdobędę SŁAWĘ, dostanę za każdą z tych rzeczy DUŻO lepszą cenę.

Czułbym się jak ostatni frajer, gdybym opylił za nędzne PIĘĆDZIESIĄT CENTÓW swoją pracę domową, a ona potem poszłaby na aukcji za KILKA TYSIĘCY DOLARÓW.

Pewnego dnia mój dom rodzinny stanie się jednym z muzeów, do których jeżdżą szkolne wycieczki.

No i to muzeum będzie chciało mieć jak najwięcej AUTENTYKÓW z mojego dzieciństwa.

Tylko dlatego nie jestem JESZCZE sławny, że w młodości człowiek nic, tylko chodzi do szkoły i odrabia prace domowe. Po prostu nie ma kiedy pracować na swoje NAZWISKO.

Ale nawet dzieciak może stać się sławny, jeśli okaże BOHATERSTWO. Mama i tata co wieczór oglądają wiadomości, a tam zawsze jest jakaś historia o dziecku, które kogoś URATOWAŁO. Przed zadławieniem się na śmierć albo czymś w tym stylu.

Niestety takie okazje nie nadarzają się zbyt CZĘSTO. Ja jednak robię wszystko, żeby znaleźć się w odpowiednim miejscu o odpowiedniej porze.

CZEKANIE na sposobność trochę mnie już zmęczyło, więc postanowiłem sam zaaranżować sytuację, w której miałbym PEWNOŚĆ, że zostanę bohaterem. Doszedłem do wniosku, że jeśli na przykład uratuję kogoś przed atakiem psa, postawią mi pomnik w parku i to będzie naprawdę super.

Rowley, któremu powiedziałem o tym pomyśle, nie wydawał się do niego przekonany. Zmienił jednak zdanie, gdy dodałem, że on TEŻ znajdzie się na pomniku.

No więc wziąłem trochę boczku z lodówki i kazałem Rowleyowi wypchać nim kieszenie. A potem zrobiliśmy rundkę po okolicy, rozglądając się za jakimiś PSAMI.

W końcu udało nam się wzbudzić zainteresowanie psów, ale nie TAKICH, o jakie mi chodziło.

Rowley okropnie się zestresował psami, które za nami szły. Z nerwów ZEŻARŁ cały surowy boczek, co, jak słyszałem, może mieć POWAŻNE konsekwencje. Dlatego powiedziałem jego rodzicom, co zrobił, a oni na wszelki wypadek zabrali go do lekarza.

Prawdopodobnie uratowałem Rowleyowi życie, co też chyba było jakimś bohaterstwem. Nie sądzę jednak, żeby za ten rodzaj odwagi stawiali człowiekowi pomnik.

Może zresztą niepotrzebnie się ograniczam, myśląc o jakimś głupim pomniku. Jeśli dokonam czegoś naprawdę WIELKIEGO, dzień moich urodzin zostanie ogłoszony świętem narodowym.

I to byłaby SUPERSPRAWA, bo wtedy każdy dostawałby wolne, no i zawdzięczałby swoje szczęście MNIE.

Tylko że kiedy w szkole mamy dzień wolny z okazji jakiegoś święta, ja nie poświęcam nawet jednej myśli OSOBIE, której ONO dotyczy. Cóż, mimo to mam nadzieję, że w MOJE święto ludzie od rana do nocy będą się zastanawiać nad życiem i czynami Grega.

Chociaż znając MOJEGO pecha, sklepy zapewne wykorzystają ten dzień, żeby urządzić sezonową wyprzedaż mebli.

KWIECIEŃ

Niedziela

Ostatnio tak okropnie leje, że wszystko rośnie jak szalone. Totalny kanał, bo to do MOICH obowiązków należy pielenie ogródka.

Nie wiem, czemu mama każe mi wyrywać chwasty, skoro wie, ze jestem w tym BEZNADZIEJNY. Nie widzę żadnej różnicy między chwastem a czymś, co powinno ZOSTAĆ w ogrodzie, więc ciągle likwiduję nie te rośliny, co trzeba.

Nadal nie jestem przekonany, czy w ogóle ISTNIEJE różnica między chwastami a zieleniną. Założę się, że są na świecie miejsca, gdzie SZPARAGI to chwaściory, i że jakiś nieszczęsny chłopiec w moim wieku właśnie je wyrywa.

Nie rozumiem na przykład, czemu TRAWA nie jest uważana za chwast, bo na moje oko wygląda DOKŁADNIE tak samo. Ale ludzie tacy jak mój tata nadal marnują na jej koszenie wszystkie soboty i niedziele, próbując zrobić wrażenie na sąsiadach.

Powiem wam jedno: kiedy będę miał WŁASNY dom, WYBETONUJĘ cały ogródek. To mi pozwoli cieszyć się ŚWIĘTYM SPOKOJEM w weekendy.

Robiąc wylewkę, oszczędzę MASĘ kasy. Tata wydaje MAJĄTEK na nawóz do trawników, a on chyba poważnie szkodzi zdrowiu. Co widać na przykładzie mojego sąsiada Fregleya, który zawsze wychodzi do ogródka zaraz po opryskach.

Założę się, że te chemikalia potrafią nieźle namieszać w naszych GENACH. No więc jak wyrośnie mi trzecie oko albo coś w tym stylu, to będzie wina RODZICÓW.

W swoim przyszłym domu wszystko urządzę INACZEJ. I nie mówię tylko o TRAWNIKU.

KIEDYŚ chciałem mieć wielką rezydencję z ogromną bramą. Ale zdałem sobie sprawę, że gdy zdobędę sławę, cały naród będzie wiedzieć, GDZIE mieszkam.

Mój NOWY plan to zamieszkać w naprawdę MAŁYM domku, niezwracającym niczyjej uwagi. Bo cały LUKSUS będzie się krył POD ZIEMIĄ.

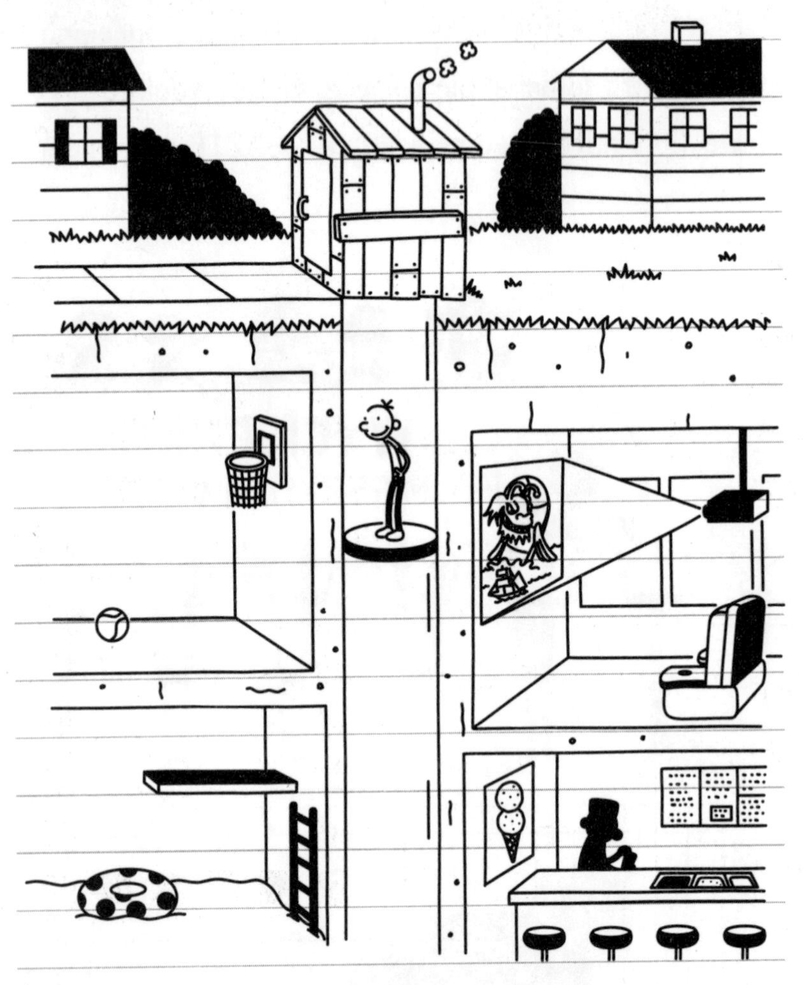

Wiem już, jak urządzę każde z pięter. W zeszłym tygodniu skończyłem projektować piąte, które chyba się stanie moim ULUBIONYM.

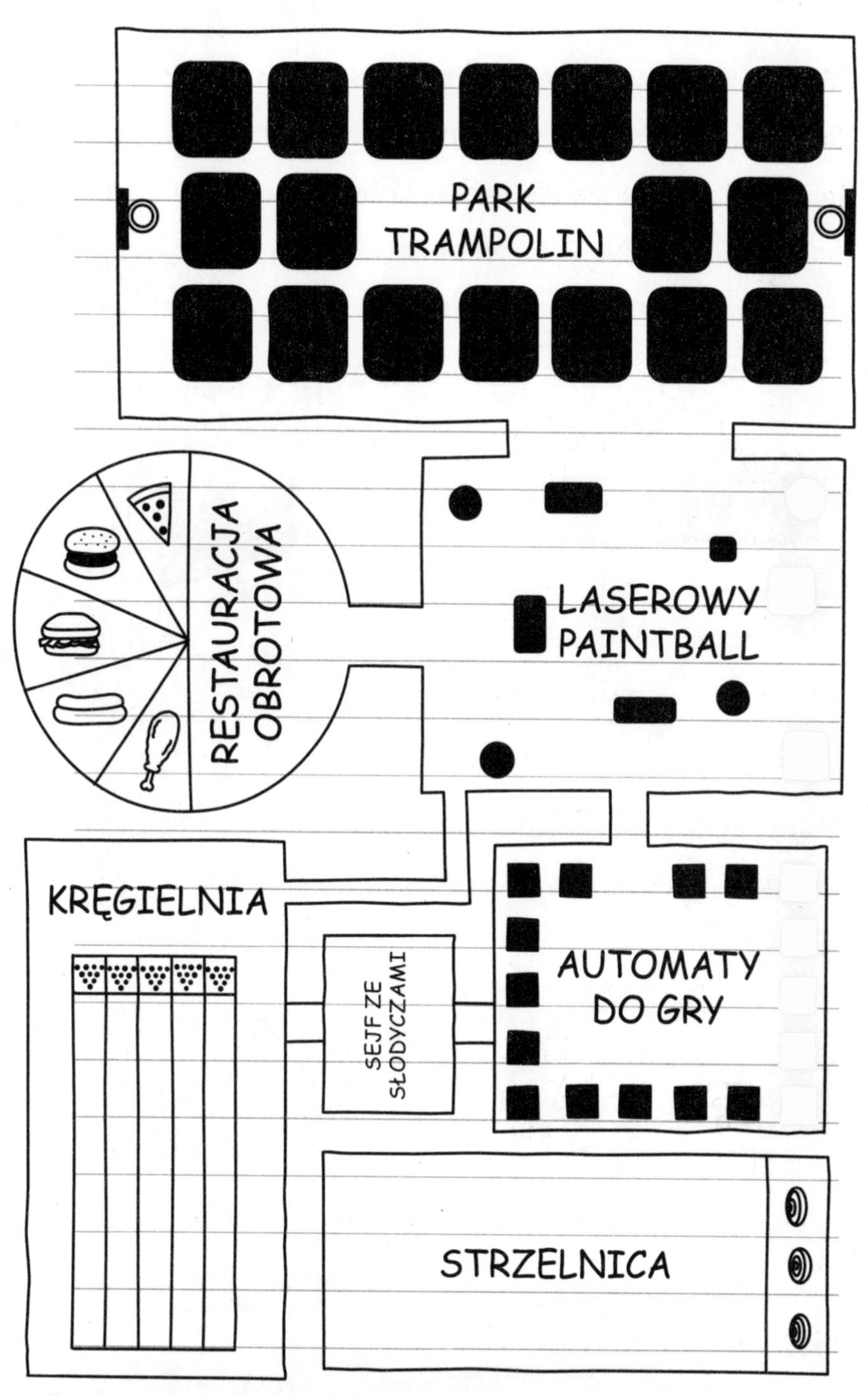
PARK
TRAMPOLIN
RESTAURACJA
OBROTOWA
LASEROWY
PAINTBALL
KRĘGIELNIA
SEJF ZE
SŁODYCZAMI
AUTOMATY
DO GRY
STRZELNICA

Trochę mnie tylko niepokoi perspektywa PODZIEMNEGO życia, bo mój starszy brat Rodrick mieszka w piwnicy i nie sądzę, żeby mu to wychodziło na ZDROWIE. No więc powieszę sobie w pokojach mnóstwo ekranów udających OKNA.

Mój przyszły dom będzie zbyt DUŻY, żeby po nim biegać. Dlatego chcę go wyposażyć w chodniki ruchome.

Zamówię sobie szklaną wannę, a pod nią olbrzymie akwarium. Dzięki temu podczas kąpieli będę się czuć jak w OCEANIE.

W moim przyszłym domu zainstaluję też NAJNOWOCZEŚNIEJSZY system antywłamaniowy. Już teraz obmyśliłem różne pułapki na włamywaczy.

A jeśli ktoś nawet dostanie się do środka, ja go po prostu przeczekam w swoim bajeranckim schronie. Takim ze stalowymi ścianami grubości metra.

Od czasu do czasu będę urządzał imprezę, żeby ludzie zobaczyli, jaką niesamowitą mam chałupę. Ale jeśli za bardzo się ZASIEDZĄ, znajdę sposób, żeby wystawić ich za drzwi.

Wszystko to będzie KOSZTOWAŁO i na pewno minie trochę czasu, zanim odłożę wystarczająco dużo pieniędzy. Ale nic nie stoi na przeszkodzie, żeby zacząć planować już TERAZ.

Piątek

Wczoraj wieczorem odrabiałem pracę domową, kiedy tata zawołał mnie na dół. Mama siedziała w kuchni przy stole i wyglądała na bardzo zasmuconą.

Tata powiedział mnie i moim braciom, że nasza cioteczna babka Reba umarła we śnie. Ale my trzej mamy TYLE ciotecznych babek, że w pierwszej chwili nie załapałem, o kogo mu chodzi.

Mama wyjaśniła mi, że Reba to ta, która pisała paskudne liściki, kiedy zapominałem podziękować za hajs na urodziny. A wtedy ZE SZCZEGÓŁAMI przypomniałem sobie TĘ babcię.

Natomiast MANNY chyba dobrze pamięta Rebę, bo wyraźnie się przejął jej śmiercią.

Dlatego mama przeczytała mu na dobranoc

książeczkę, którą czytała MNIE, kiedy umarła Busia.

Mama ma TAJNĄ PÓŁKĘ z książkami o Dziobaku

Dominiku. Wałkowała je ze mną zawsze wtedy, gdy

jako dzieciak miałem do czynienia z czymś NOWYM.

Pewnego dnia znalazłem wszystkie te książki w pokoju mamy i przeczytałem je w jedno popołudnie. Choć chyba nie powinienem był tego robić, bo przez Dziobaka Dominika stałem się KŁĘBKIEM NERWÓW.

W jednej z książeczek Dziobak Dominik był smutny, ponieważ drzewo w jego ogrodzie uschło i musiało zostać ścięte. No więc kiedy mama i tata powiedzieli, że trzeba ściąć martwe drzewo w NASZYM ogródku, totalnie mi ODBIŁO.

Rodzice SPANIKOWALI i postanowili zostawić drzewo w spokoju. Tylko że parę tygodni później ono i tak się przewróciło, kasując nam taras.

W całej serii o Dziobaku Dominiku pojawia się ten sam schemat. Najpierw Dominik czymś się martwi, później jego mama mówi mu, że wszystko będzie dobrze, a potem się okazuje, że mama MIAŁA RACJĘ.

Lubiłem czytać te historyjki, bo zawsze liczyłem, że na końcu wydarzy się coś ZASKAKUJĄCEGO. No ale za każdym razem przeżywałem ZAWÓD.

Dlatego zacząłem wymyślać swoje własne zakończenia. Aż mama zobaczyła moją puentę do przygody w zoo i zabrała mnie do psychologa.

Sobota

Dzisiaj był pogrzeb naszej ciotecznej babki Reby. Mama powiedziała, że musimy iść na cmentarz i „okazać wsparcie", bo Reba nie miała dużej rodziny.

Mama kazała nam też włożyć coś CZARNEGO, ale kiedy zobaczyła Rodricka w ciuchach, które mój brat miał na swoim ostatnim koncercie, powiedziała, żeby się PRZEBRAŁ.

Właśnie dlatego dojechaliśmy na miejsce z piętnastominutowym spóźnieniem. Ceremonia już się rozpoczęła, więc stanęliśmy Z TYŁU. Nigdy tak DŁUGO nie przebywałem na żadnym cmentarzu i czułem się trochę NIESWOJO.

Wszystko przez Rodricka, który zawsze mówi, że przechodząc obok cmentarza, trzeba wstrzymać oddech. Chodzi o to, żeby nie połknąć DUCHA. No cóż, dziś wstrzymywałem oddech W NIESKOŃCZONOŚĆ, ale nie było OPCJI, żebym nie oddychał przez CAŁY pogrzeb.

Naprawdę mam nadzieję, że nie połknąłem ducha, bo życie w gimnazjum jest WYSTARCZAJĄCO ciężkie. Nie chciałbym dodatkowo zostać OPĘTANY przez jakiegoś gościa z XVII wieku.

Podczas pogrzebu na niektórych nagrobkach zauważyłem cytaty i zacząłem rozmyślać o napisie na MOIM przyszłym grobie. Mam nadzieję, że w chwili śmierci powiem coś niesamowicie MĄDREGO i że te właśnie słowa zostaną wyryte na płycie.

Ale znając mojego pecha, powiem raczej coś strasznie GŁUPIEGO.

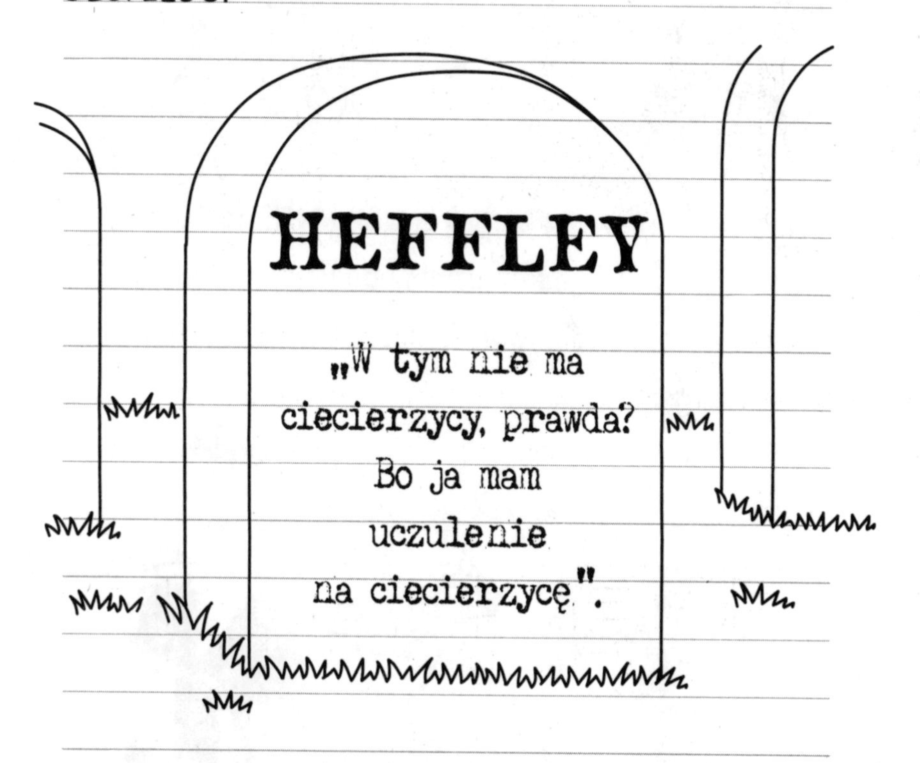

Zadaję sobie dużo pytań o życie pośmiertne. Na przykład o to, jak będziemy wtedy WYGLĄDALI.

Jeżeli tak jak przed samą śmiercią, to niebo bardzo przypomina dom spokojnej starości.

Chciałbym też wiedzieć, jakie UBRANIE nosi się w zaświatach. Bo jeśli trafiamy do raju w tym, co mamy na sobie, to wolałbym nie paść trupem w HALLOWEEN.

Powiem tak. Fajnie byłoby żyć jak najdłużej. Ale nie WIECZNIE.

W każdym filmie o gościu, który nagle stał się NIEŚMIERTELNY, jest jakiś HACZYK psujący całą zabawę.

Gdy człowiek staje się nieśmiertelny, musi to trzymać w TAJEMNICY przed światem. A jeśli inni odkryją PRAWDĘ, zaczynają widzieć w nim POTWORA albo DZIWOLĄGA.

Co do mnie, nawet bym NIE PRÓBOWAŁ niczego ukrywać. Przypominałbym ludziom, jak mam fajnie, przy KAŻDEJ okazji.

W szkole uczyliśmy się niedawno o religiach świata i o tym, że różne osoby wierzą w różne rzeczy. Na przykład w to, że kiedy człowiek umiera, odradza się w NOWYM ciele.

Niektórzy twierdzą, że wracamy na świat w zupełnie innym wcieleniu, na przykład jakiegoś zwierzęcia. I że nasza POSTAĆ jest związana z tym, czy w poprzednim życiu byliśmy DOBRZY, czy ŹLI.

Trochę się tym gryzę, bo nie jestem dumny z paru swoich uczynków.

Jeśli na przykład ROŚLINY mają UCZUCIA, to przewiduję KŁOPOTY.

Mam nadzieję, że zdążę jakoś to poodkręcać, zanim się odrodzę jako żuk gnojowy.

Mama powiedziała nam, że cioteczna babka Reba nie miała dużej rodziny, ale za to wielu PRZYJACIÓŁ. Co wyjaśniało tłok na cmentarzu.

Cóż, ja chyba TEŻ muszę zacząć poznawać nowe osoby. Inaczej MÓJ pogrzeb nie zgromadzi tłumów.

Kiedy uroczystość dobiegła końca, ludzie się rozeszli. Myślałem, że rozpoznam KOGOŚ z żałobników, na przykład którąś z sióstr Reby. Ale WSZYSTKIE twarze wyglądały obco, co wydawało się DZIWNE.

Mama też była zbita z tropu. Gdy trochę się przerzedziło, utorowaliśmy sobie drogę do grobu. I właśnie wtedy odkryliśmy, że POMYLILIŚMY POGRZEBY.

Zanim dotarliśmy do WŁAŚCIWEGO grobu, pogrzeb Reby dobiegł końca i wszyscy sobie poszli.

Cóż, mam przynajmniej nadzieję, że Reba SETNIE SIĘ UBAWIŁA, oglądając nas z nieba na cudzym pogrzebie. Choć to nie jest pewne, bo zapamiętałem ją raczej jako osobę BEZ poczucia humoru.

Poniedziałek

Dziś podczas kolacji dorośli zwołali naradę rodzinną. Co zwykle nie zapowiada niczego DOBREGO.

Potem mama oświadczyła, że nasza cioteczna babka Reba wiodła skromny żywot w malutkim mieszkanku, ale potrafiła obchodzić się z pieniędzmi i poczyniła mądre inwestycje.

Aż do tego momentu nie miałem pojęcia, O CO CHODZI. Lecz zaraz potem wszystko stało się jasne. Otóż Reba zostawiła swoje pieniądze RODZINIE. A do mnie dopiero po chwili dotarło, że rodzina to także MY.

Podobno człowiek nie powinien się cieszyć, gdy dostaje wiadomość o spadku, bo to niełanie wobec zmarłego. Tylko że nam, DZIECIOM, nikt o tym nie powiedział.

Mama kazała nam usiąść i oświadczyła, że musimy porozmawiać o tym, co zrobimy z PIENIĘDZMI.

Ale ja już DOKŁADNIE wiedziałem, na co przeznaczę swój UDZIAŁ.

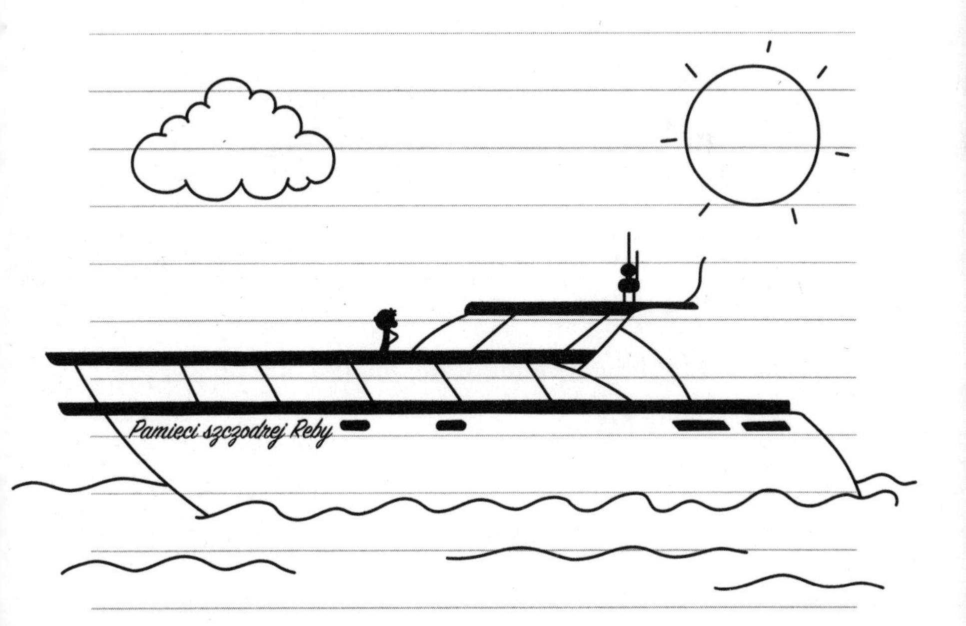

Rodrick stwierdził, że wyda swoją część na busik, żeby móc jeździć z kapelą w trasy koncertowe. Tata obwieścił, że w końcu sobie kupi te superdrogie figurki do makiety wojny secesyjnej. Manny natomiast ogłosił, że - nie wiadomo dlaczego - wypełni swój pokój budyniem czekoladowym.

Ale mama od razu nas zgasiła. Oznajmiła, że decyzję podejmiemy wspólnie, bo jesteśmy RODZINĄ. I że cokolwiek zrobimy z pieniędzmi, muszą one posłużyć nam WSZYSTKIM.

Po czym wyjawiła, jaki ONA ma pomysł. A był nim REMONT DOMU.

Inni uznali to za STRASZLIWĄ NUDĘ, ale nie JA. Natychmiast pobiegłem na górę po plany podziemnej rezydencji i piętro po piętrze przedstawiłem swój projekt.

Mama jednak stwierdziła, że pieniędzy po Rebie nie starczy nawet na wypasione boisko do hokeja, które zaplanowałem na drugim piętrze. Wtedy spróbowałem przepchnąć chociaż te TAŃSZE rozwiązania, takie jak sofa z wbudowanym kibelkiem.

Ale TYM pomysłem mama też jakoś nie była oczarowana. Oświadczyła, że raczej myślała o ROZBUDOWANIU DOMU. No i EKSTRA, od razu się do tej koncepcji zapaliłem. Wyobraziłem sobie dwa nowe górne piętra, tak żeby każdy członek rodziny mógł mieć WŁASNY poziom.

Rodrick od razu powiedział, że chce dobudować studio nagraniowe. Tata zażądał oszklonego pokoju na makietę wojny secesyjnej, żeby sąsiedzi mogli ją podziwiać.

Manny miał ZDANIE ODRĘBNE na temat dobudówki, ale chyba nadal chodziło o budyń czekoladowy.

Oczywiście dla mamy nasze pomysły były NIE DO PRZYJĘCIA. Bo ona już miała swoją własną, ZUPEŁNIE odmienną wizję.

Wyznała, że zawsze marzyła o większej KUCHNI. I że z radością przeznaczy pieniądze na ten właśnie cel.

Żaden z nas, facetów, nie był zadowolony. Toteż kontynuowaliśmy BURZĘ MÓZGÓW, próbując wpaść na jakąś LEPSZĄ myśl.

Ale wtedy mama się WŚCIEKŁA. Powiedziała, że tylko ona w tej rodzinie wysyłała ciotecznej babce Rebie kartki z podziękowaniami. A więc to ONA zdecyduje, co zrobimy z pieniędzmi. I w jakiś tajemniczy sposób to zakończyło dyskusję.

Widzicie? Właśnie dlatego zostawianie spadku rodzinie jest kiepskim pomysłem. Wszystkich UNIESZCZĘŚLIWIA.

Ja sam nie zamierzam NIKOMU zapisywać ŻADNYCH pieniędzy. Przed śmiercią wydam je co do centa, żeby ludzie nie mieli się o co KŁÓCIĆ.

GWARANTUJĘ wam, że w przyszłości Rodrick, Manny i ja posprzeczamy się o spadek po mamie i tacie. Ja już TERAZ mam poważne obawy, że nie dostanę tego, co mi się sprawiedliwie należy.

Skąd takie podejrzenia? Stąd, że gdy tylko nauczyłem się pisać swoje imię, Rodrick kazał mi złożyć podpis na paru karteluszkach. I KTO WIE, na co się wtedy NIEŚWIADOMIE zgodziłem.

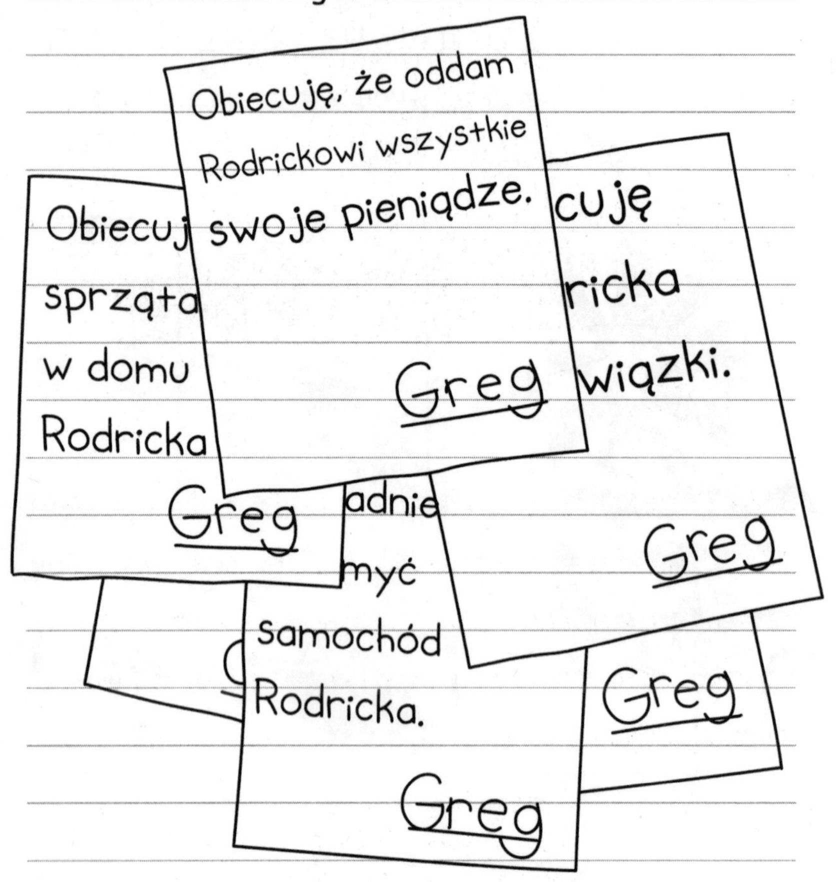

Rodrick zawsze podkreśla, że jest „synem pierworodnym", czyli że odziedziczy po naszych rodzicach dom i PIENIĄDZE. Ale nie wiem, czy jego informacje nie są czasem NIEAKTUALNE.

Jeśli jednak Rodrick ma RACJĘ, to dobrze, że jestem DRUGI w kolejce, a nie TRZECI, bo Manny jako najmłodsze dziecko nie może liczyć na ŻADNĄ kasę. My dwaj stoimy mu na drodze i właśnie dlatego wolę mieć młodego na oku.

Sobota

Fajne w naszej rozbudowie jest to, że mam się teraz czym przechwalać przed Rowleyem, kiedy idziemy do szkoły.

Powiedziałem mu już, że w naszej kuchni będą granitowe blaty, podłoga z kafelków i nowy sprzęt AGD. Ale wiecie co? Zamiast mi POZAZDROŚCIĆ, Rowley się ucieszył. Zupełnie gościa nie rozumiem.

Dom Jeffersonów jest nowszy od naszego i DUŻO większy.

A to nie w porządku, bo Rowley jest jedynakiem i NIE POTRZEBUJE tyle miejsca.

Kiedy on i jego rodzice przyjechali do naszego miasta, powiedziałem mu, że powinniśmy wymienić się domami, żeby było bardziej SPRAWIEDLIWIE. Rowley nie miał nic przeciwko temu, ale jego tata OWSZEM. No i tak sobie dzisiaj myślę, że ja i pan Jefferson po prostu ŹLE ZACZĘLIŚMY.

Tak czy inaczej, zaczynam się nakręcać na tę całą rozbudowę, bo FAJNIE będzie mieć więcej przestrzeni. Mam jednak wrażenie, że zanim wjedzie tu ciężki sprzęt, rodziców czeka dużo papierologii.

Przed wkroczeniem firmy budowlanej tata chce naprawić w domu parę rzeczy, a ja i Rodrick mamy mu POMÓC.

Tata mówi, że kiedyś Rodrick i ja będziemy mieć WŁASNE domy i musimy umieć dokonywać w nich różnych napraw. Wtedy ja odpowiadam, że do tego czasu żadnych napraw nie będzie się już wykonywać samemu. Ale on nigdy mnie nie słucha.

Gdy tylko tata próbuje nas nauczyć czegoś nowego, mam duży problem ze skupieniem uwagi. Parę tygodni temu pokazywał mnie i Rodrickowi, jak zmienić koło, ale chyba się zdekoncentrowałem, kiedy zaczął mówić o nakrętkach i ciśnieniu powietrza.

Tata się wściekł, że nie uważam, i zapytał, co zrobię, jak kiedyś utknę na poboczu z flakiem. Powiedziałem mu, że zamierzam kupić sobie GWIZDEK, no więc zagwiżdżę, aby wezwać pomoc.

To chyba jednak była zła odpowiedź, bo teraz tata się na mnie uwziął. Twierdzi, że CHOĆBY NIE WIEM CO, nauczy mnie ZARADNOŚCI.

Dziś powiedział, że mi pokaże, jak „udrożnić odpływ", co nie zabrzmiało zbyt ZACHĘCAJĄCO. A kiedy się dowiedziałem, że to coś HYDRAULICZNEGO, totalnie SPANIKOWAŁEM.

Boję się HYDRAULIKI od wczesnego dzieciństwa. Niedługo po przeprowadzce usłyszałem, jak mama mówi do taty, stojąc w progu MOJEJ łazienki:

Wtedy jeszcze NIE WIEDZIAŁEM, że fuga to po prostu wypełnienie między kafelkami. Ale jej nazwa podziałała mi na wyobraźnię.

Ani razu nie spotkałem FUGI oko w oko, więc sądziłem, że włazi do rur, kiedy wchodzę do łazienki. Dlatego zacząłem się bać kranów i odpływów.

Miałem stracha, że pewnego dnia FUGA złapie mnie pod prysznicem za nogę i wciągnie do rury.

W łazience rodziców wcale nie czułem się bezpieczniej. Dla FUGI z pewnością nie było problemem przepełznąć rurami i dopaść mnie także TAM, gdyby tylko chciała.

W końcu postanowiłem ją powstrzymać i pewnego dnia ZATKAŁEM wszystkie krany balonami. Ale dziś wiem, że to było dość głupie.

Potrzebowałem czegoś do OBRONY WŁASNEJ, na wypadek gdyby Fuga dorwała mnie w toalecie. No i w szafce pod umywalką znalazłem broń, o którą mi chodziło.

Teraz, siedząc na kibelku, byłem UZBROJONY.

Wtedy jednak zacząłem się martwić, że Fuga wypełznie z łazienki i wejdzie do mojej SYPIALNI.

Parę razy mógłbym nawet przysiąc, że BYŁA ze mną w pokoju.

Chociaż gdy się rano budziłem, odkrywałem, że już jej NIE MA.

Wreszcie powiedziałem mamie, że nie chcę sam spać, ponieważ boję się Fugi.

Mama uznała, że to BARDZO ŚMIESZNE, i wyjaśniła mi, czym FUGA jest NAPRAWDĘ.

Dodała, że każdy potwór staje się rzeczywisty, gdy w niego WIERZYMY. Więc jeśli przestanę myśleć, że FUGA istnieje, ona ZNIKNIE.

Ja jednak byłem pewien, że właśnie coś TAKIEGO powiedziałaby FUGA. I zacząłem się zastanawiać, czy ona czasem nie podszywa się pod MAMĘ.

Od tamtego dnia zamykałem drzwi sypialni NA KLUCZ, tak na wszelki wypadek.

W końcu sam z siebie PRZESTAŁEM wierzyć w FUGĘ. A w każdym razie nie wierzyłem w nią aż do DZISIAJ. Bo dziś tata odetkał odpływ w kabinie prysznicowej i wyjął z niego kłąb WŁOSÓW. No a ja WIĘCEJ dowodów NIE POTRZEBOWAŁEM.

Resztę dnia spędziłem zamknięty w swoim pokoju. I tam właśnie zamierzałem ZOSTAĆ, tylko że tata wziął śrubokręt i zdjął drzwi z zawiasów.

Nie miałem pojęcia, że to w ogóle jest MOŻLIWE. Tata powinien być zadowolony, bo jednak nauczyłem się czegoś NOWEGO.

Niedziela

Tata obudził mnie i Rodricka bladym świtem i kazał nam się zbierać. Powiedział, że pojedziemy z nim do sklepu budowlanego, bo czeka nas dużo obowiązków i potrzebujemy NARZĘDZI.

Już dawno nie byliśmy w takim miejscu. A ostatnim razem, kiedy to się zdarzyło, zostaliśmy wyrzuceni za drzwi. Wszystko przez Manny'ego, który na piętrze z pokazowym mieszkaniem skorzystał z TOALETY.

W sklepie tata poszedł po różne wihajstry do naprawy pralki. Mnie i Rodrickowi kazał odszukać inne rzeczy z listy zakupów, takie jak bejca czy pędzle.

Coś wam powiem. W razie inwazji zombiaków albo innego nieszczęścia walę JAK W DYM do sklepu budowlanego. Bo to prawdziwy skład ZABÓJCZEJ broni.

Po powrocie do domu tata polecił mnie i Rodrickowi pomalować bejcą werandę. Powiedział, że mamy bejcować wokół wanny z hydromasażem, bo jest za ciężka, żeby ruszyć ją z miejsca.

Będę z wami szczery. Ta wanna jest PORAŻKĄ. Od samego początku mamy przez nią wyłącznie KŁOPOTY.

Tej zimy niemal mnie ZABIŁA. W dodatku wcale nie RAZ, tylko DWA RAZY.

Pewnego wieczoru podczas zawiei śnieżnej odpiął się pas przytrzymujący pokrywę. No a tata kazał mi iść to POPRAWIĆ.

Wbiłem się chyba we wszystkie zimowe ciuchy i wyszedłem na mróz, żeby zająć się tym dziadostwem. Pokrywa latała na prawo i lewo JAK SZALONA i nie było łatwo położyć ją z powrotem na wannie. Kiedy już myślałem, że sobie poradziłem, nagle wiatr zdmuchnął pokrywę z werandy.

Ale ja wciąż mocno ją trzymałem, więc mnie też PORWAŁ wiatr.

Gdyby na ziemi nie leżał metr ŚNIEGU, na pewno NIE PRZEŻYŁBYM tej przygody.

Najpierw się upewniłem, że nie złamałem żadnej kości, a potem zatachałem pokrywę przez śnieg i po schodach na górę. Kiedy stanąłem na OSTATNIM stopniu, byłem WYKOŃCZONY.

Ale to nie koniec historii. Okazało się, że wąż ogrodniczy, którego tata używa do NAPEŁNIANIA wanny, leży ZAMARZNIĘTY na schodach. A ja na niego nadepnąłem, poślizgnąłem się, zjechałem z pokrywą na dół i PRAWIE skręciłem sobie kark.

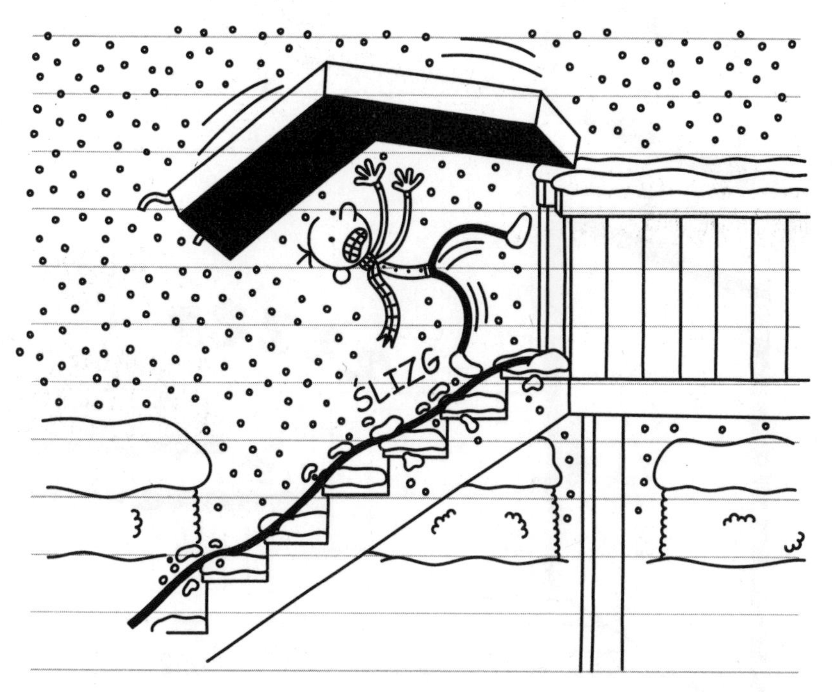

Rodrick też miał niezłe przeboje z WANNĄ. Moczył się w niej przez całą zimę, ale wyrobił sobie zły nawyk ZASYPIANIA w środku. No więc mama, zanim wieczorem położyła się do łóżka, musiała zawsze sprawdzać, czy Rodrick nie śpi przypadkiem NA DWORZE.

Ale pewnego wieczoru zupełnie o nim zapomniała, a on został aż do RANA w BĄBELKACH.

Potem mój brat jeszcze przez DWA TYGODNIE marszczył się jak SUSZONA ŚLIWKA. W tym czasie w szkole robili zdjęcia do albumów klasowych, no i nie chcieli ZACZEKAĆ, aż Rodrick upodobni się do człowieka.

Rodrick Heffley

Parę miesięcy temu tata opróżnił wannę. Od TAMTEJ pory nie ma w niej wody. A ja mam nadzieję, że POZBĘDZIEMY SIĘ tego rupiecia, zanim któryś z domowników naprawdę UCIERPI.

Gdy bejcowaliśmy dziś werandę wokół wanny, nagle usłyszałem dziwne bzyczenie. Pomyślałem, że może ktoś przez przypadek zostawił włączony podgrzewacz.

Podniosłem pokrywę, żeby to sprawdzić. I w tej samej chwili zrozumiałem swój BŁĄD.

Od spodu zrobiły sobie gniazdo OSY, a ja najwyraźniej je zdenerwowałem. Gdybym wykonał jakiś gwałtowny ruch, mogłyby zacząć ŻĄDLIĆ, więc zamarłem, nie wiedząc, co TERAZ. I wtedy Rodrick zdecydował ZA MNIE.

Osy STRASZNIE się wściekły, a ja upuściłem pokrywę i rzuciłem się do UCIECZKI. Obaj zdołaliśmy jakoś dopaść drzwi i żadna osa nas nie dziabnęła.

Mieliśmy szczęście, bo czytałem, że osy, inaczej niż pszczoły, mogą użądlić NIE RAZ, lecz WIELE RAZY.

Zastanawiam się, jakie to uczucie wiedzieć, że UMRZESZ, jeśli kogoś użądlisz. Gdybym był pszczołą, żądło pewnie by mnie ŚWIERZBIAŁO dzień w dzień. ZWŁASZCZA w towarzystwie matołów z mojej szkoły.

Gdybym przeżył całe życie i nikogo nie użądlił, pewnie bym tego na łożu śmierci ŻAŁOWAŁ.

Po południu tata zapytał, dlaczego ja i mój brat porzuciliśmy swoje miejsce pracy. Rodrick powiedział mu o OSACH, ale pominął ten szczegół, że polał ich gniazdo wodą z węża.

Wtedy tata znalazł dla nas INNE zadanie. Rynny się zapchały i wymagały czyszczenia, no więc Rodrick i ja poszliśmy do garażu po drabinę.

Czyszczenie rynien jest zajęciem, którego nienawidzę NAJBARDZIEJ, bo to zawsze JA muszę wchodzić po drabinie.

Tata nie robi już tego, odkąd przydarzyła mu się drobna utarczka z WIEWIÓRKĄ.

Wchodzenia na drabinę odmawia również RODRICK. On mówi, że to robota dla dzieciaka, który jest NAJLŻEJSZY, bo podobno ktoś taki MNIEJ BOLEŚNIE zalicza glebę.

Mój starszy brat nawet narysował schemat, który miał NAUKOWO dowieść słuszności jego teorii. Cóż, jeśli chciał mi poprawić nim humor, to NIE BARDZO mu wyszło.

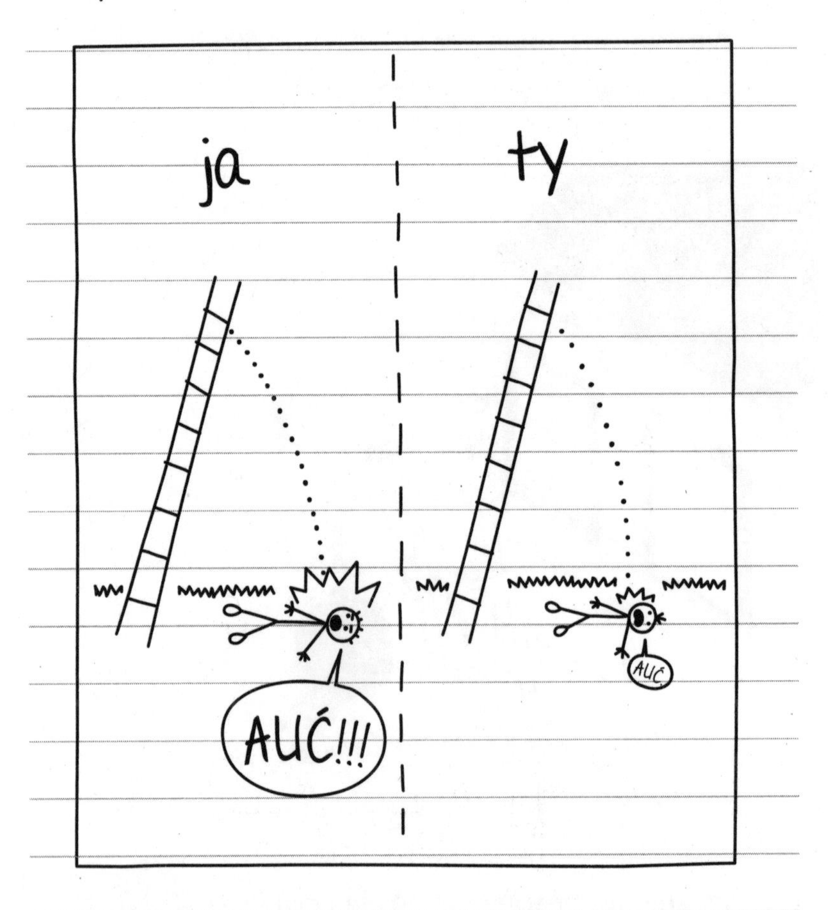

Wyciągnęliśmy drabinę z garażu, zanieśliśmy przed dom i oparliśmy o dach. Rodrick ją trzymał, żeby mnie ubezpieczać.

Kiedy dotarłem na sam szczyt, zacząłem wygarniać błocko z rynny do worka na śmieci, który miałem w drugiej ręce. Czyli praktycznie niczego się nie trzymałem i trudno mi było zachować równowagę.

Po wysprzątaniu pierwszej rynny zlazłem z drabiny, którą przestawiliśmy w inne miejsce, żebym mógł wspiąć się do kolejnej rynny. I tak dalej, i tak dalej. Aż za czwartym razem zauważyłem, że drabina trochę się KIWA.

Wrzasnąłem do Rodricka, żeby trzymał ją MOCNIEJ, ale nie doczekałem się odpowiedzi. A gdy spojrzałem w dół, żeby sprawdzić, czy czasem nie siedzi z nosem w telefonie, odkryłem, że WCALE go tam nie ma.

Wtedy zajrzałem przez okno do ŁAZIENKI i zobaczyłem, że Rodrick mnie WYSTAWIŁ.

Zacząłem walić w szybę, żeby zwrócić jego uwagę, ale chyba trochę PRZESADZIŁEM, bo nagle drabina niebezpiecznie się przechyliła.

Było już za późno, żeby uciekać w dół, a zatem pozostała mi tylko ucieczka W GÓRĘ.

Wbiegłem po najwyższych szczeblach i chwyciłem krawędź dachu obiema rękami, a potem się podciągnąłem. Zrobiłem to w ostatniej chwili, bo w tej samej sekundzie drabina RUNĘŁA.

Ja natomiast utknąłem na dachu bez żadnej drogi odwrotu. Wołałem mamę i tatę w nadziei, że mnie usłyszą. Byłem jednak pewny, że tata naprawia pralkę, a mamy nie widziałem od samego rana.

Nagle dostrzegłem pana Laroccę wyjeżdżającego na swojej kosiarce z szopy i pomyślałem, że jestem URATOWANY. Zacząłem KRZYCZEĆ, ale zagłuszał mnie silnik kosiarki.

W końcu pomyślałem, że zwrócę uwagę sąsiada, rzucając w jego stronę kupą szlamu z rynny.

I tak też zrobiłem, celując w jakiś punkt przed panem Laroccą. Ale musiałem pomylić się w obliczeniach, bo trafiłem BEZ PUDŁA w sam środek kosiarki.

Wierzcie mi, TAKIEGO rzutu już nigdy nie zdołałbym powtórzyć. Nawet gdybym próbował sto razy.

Pan Larocca zatrzymał kosiarkę i zaczął się zastanawiać, KTO go tak urządził. Ja natomiast doszedłem do wniosku, że może dach nie jest wcale NAJGORSZĄ opcją, i przeczołgałem się na drugą stronę, gdzie sąsiad nie mógłby mnie wypatrzyć.

Schowałem się kominem, w jedynym zacienionym miejscu. Ale nawet tam było PIEKIELNIE gorąco.

Wiedziałem, że pomoc nie nadejdzie szybko, i po jakimś czasie zacząłem się obawiać ODWODNIENIA.

Ściągnąłem większość ciuchów, żeby NIE WYPACAĆ za dużo płynów. Pomyślałem, że jeśli sytuacja stanie się rozpaczliwa, zawsze mogę wyżąć trochę wilgoci ze swoich SKARPET. Choć miałem ogromną nadzieję, że do tego nie dojdzie.

Czułem, że jeśli sam czegoś wkrótce nie zrobię, znajdą mnie dopiero na zdjęciach satelitarnych.

Było za wysoko, żeby SKOCZYĆ, to nie ulegało wątpliwości. Zresztą nawet gdybym się nie zabił, lądując na werandzie, prawdopodobnie wykończyłyby mnie osy.

Nagle sobie przypomniałem, że nad garażem znajduje się okno. No więc opuściłem się z dachu i z trudem odnalazłem parapet.

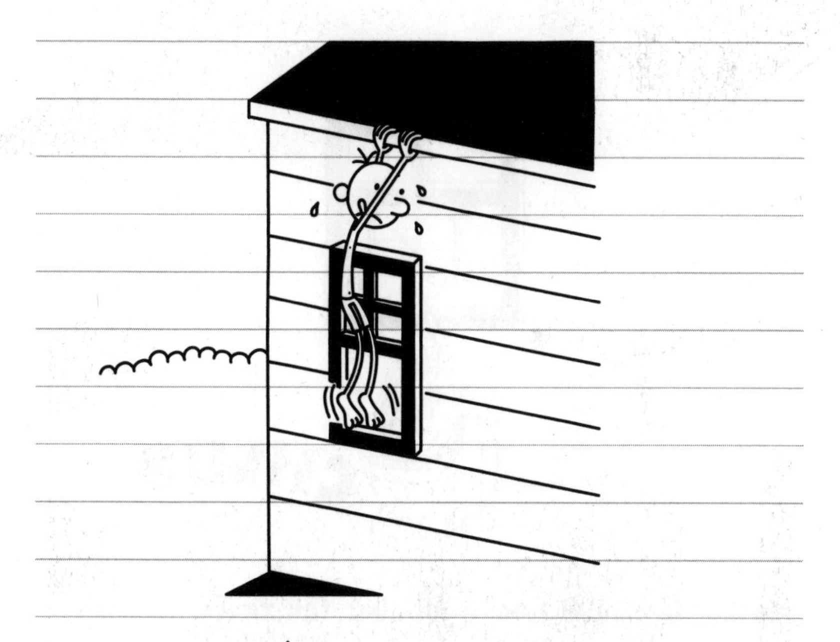

Okno NA SZCZĘŚCIE nie było zamknięte. Podniosłem je, żeby jakoś się przecisnąć, i wślizgnąłem się do środka.

W ten oto sposób trafiłem do łazienki rodziców. A parapet okienny znajdował się dokładnie nad ich KIBELKIEM.

Postawiłem jedną stopę na zbiorniku z wodą do spłukiwania, DRUGĄ natomiast chciałem umieścić na DESCE KLOZETOWEJ. A gdy do mnie dotarło, że deska jest PODNIESIONA, było już ZA PÓŹNO.

Kostka UGRZĘZŁA mi w kibelku, tak że nie mogłem wyciągnąć stopy, chociaż starałem się ze wszystkich sił. Chyba narobiłem trochę hałasu, próbując oswobodzić nogę, bo nagle zobaczyłem MAMĘ. I wiecie co? Ona tam była przez cały czas.

Wierzcie mi, nieciekawie się czułem, wyjaśniając całą sytuację TACIE, który usłyszał krzyki i przybiegł do łazienki.

Krótko mówiąc, to nie był udany dzień. Ale miał też plusy. Bo rynny będą odtąd czyścić PROFESJONALIŚCI.

Wtorek

Nie tylko MOJE obowiązki musiał przejąć ZAWODOWIEC. To samo przydarzyło się TACIE.

Widzicie, kiedy tata rozebrał pralkę na części, okazało się, że nie umie złożyć jej z powrotem. No i mama kazała mu wezwać HYDRAULIKA.

Życie bez pralki to prawdziwa udręka. Kiedy się zepsuła, musieliśmy prać ciuchy w zlewie, co było na maksa NIEWYGODNE. Aż w końcu wczoraj wieczorem Rodrick wymyślił pewne UDOGODNIENIE i wsadził swoje brudne ubrania do ZMYWARKI.

No i owszem, zmywarka nieźle ogarnęła PRANIE, ale nie SUSZENIE.

Dlatego kiedy Rodrick wychodził dziś rano do szkoły, jego ciuchy nadal były MOKRE.

Z tym jednak też sobie poradził, bo jechał do szkoły FURGONETKĄ.

Niestety ten sposób suszenia ubrań zwrócił uwagę POLICJI, która go zatrzymała.

Właśnie wtedy mama zmusiła tatę, żeby wezwał fachowca. Ja jednak nie wiedziałem, że w domu jest hydraulik, i przeżyłem wstrząs, przechodząc obok pralni.

Gość chyba wiedział, co robi, bo niedługo później pralka znów była na chodzie.

Sytuacja zrobiła się niezręczna dopiero wtedy, gdy Manny postanowił zapłacić facetowi kartą kredytową mamy.

Środa

Kiedy dziś po południu wróciłem ze szkoły do domu, zobaczyłem w ogródku ciężki sprzęt i robotników.

Nieźle się PODJARAŁEM, bo to mogło oznaczać tylko jedno. Początek naszej ROZBUDOWY.

Jakiś gość robił wykop pod fundamenty, no i powiem wam, że to wyglądało MEGA.

Ja i Rowley próbowaliśmy kiedyś przekopać się do Chin, ale zrezygnowaliśmy po paru godzinach. Wszystko potoczyłoby się pewnie INACZEJ, gdybyśmy dorwali jedną z tych NIESAMOWITYCH maszyn.

Ciekawe, czy budowlańcy pozwoliliby mi przejechać się taką koparką. Mógłbym wywinąć mojej szkole numer STULECIA.

Dziś na dworze było bardzo gorąco i mama chyba pożałowała robotników. Zrobiła im coś zimnego do picia i wyniosła napoje do ogródka.

Dobroć mamy zwróciła się jednak przeciwko nam, bo robotnicy zaczęli biegać do KIBELKA.

A kiedy przed łazienką NA DOLE ustawiła się cała kolejka, jeden olbrzym z brodą poszedł NA GÓRĘ, żeby poszukać drugiej toalety.

Brodacz miał w ręku jakieś CZASOPISMO, czyli raczej nie chodziło mu o NUMER JEDEN.

Za wszelką cenę chciałem go POWSTRZYMAĆ, więc nacisnąłem guzik czujnika dymu.

Budowlańcy wylecieli z naszego domu JAK Z PROCY, ale nie tylko oni pomyśleli, że coś się stało.

MANNY też uznał, że musi się ewakuować. Kiedy włączyłem alarm, młody powyrzucał swoje pluszaki przez okno, a potem zeskoczył na tę wielką kupę.

Mama i tata nie byli zachwyceni tym, co zrobiłem. Ale perspektywa budowlańców okupujących nasze łazienki TEŻ ich chyba nie cieszyła. Dlatego wieczorem mama zamówiła toi toi do ogródka, co pogodziło WSZYSTKIE potrzeby.

Piątek

Wczoraj ekipa wylała fundamenty, a dzisiaj zaczęła budować. Pomyślałem, że super będzie popatrzeć na ich robotę.

Niestety tata zauważył, że interesuję się budową, i jakaś MYŚL zaświtała mu w głowie.

Powiedział, że to przedsięwzięcie daje mi szansę nauczenia się czegoś od PRAWDZIWYCH fachowców i wykształcenia umiejętności, które bardzo przydają się w ŻYCIU.

Ja jednak nie podzielałem jego entuzjazmu.

Widzicie, większość robotników ma okropnie szorstkie dłonie. A ja używam mnóstwa kremów i balsamów, żeby MOJE były GŁADKIE i zadbane.

I naprawdę WOLAŁBYM, żeby takie pozostały, bo ładne dłonie są moim największym atutem.

Zrobiłem NIEWYBACZALNY błąd, zwierzając się z tego tacie, bo zanim zdążyłem policzyć do trzech, wylądowałem za drzwiami.

Nie wiem, dlaczego to mnie tata wykopał na budowę, a nie Rodricka. Manny chciał mi towarzyszyć, ale usłyszał, że jest jeszcze ZA MAŁY. No i dzieciak nie przyjął tego zbyt dobrze.

Tata kazał mi znaleźć kierownika budowy i dowiedzieć się, jak mógłbym pomóc. Chwilę popytałem wśród ludzi i w końcu ktoś zaprowadził mnie do BRYGADZISTY, który siedział w przyczepce.

Chyba był jednak zbyt zajęty, żeby cackać się z gimnazjalistą, bo powiedział, żebym odszukał niejakiego ZIOMA i pogadał z NIM.

Nietrudno było znaleźć Zioma, szczególnie że miał ksywkę wytatuowaną na czole.

Ziom pracował z grupką innych kolesi przy czymś, co budowlańcy nazywają szkieletem, więc pomyślałem, że im się przedstawię. Ale chyba nie zrobiłem PIORUNUJĄCEGO wrażenia.

Wyjaśniłem robotnikom, że chciałbym im POMÓC. A wtedy Ziom stwierdził, że ma dla mnie SUPERWAŻNE zadanie. Czyli PODPIERANIE ŚCIANY.

I rzeczywiście przez chwilę czułem się SUPERWAŻNY, póki nie odkryłem, że ściana trzyma się sama BEZ mojej pomocy.

Gdy zrozumiałem, że robotnicy mnie NABRALI, pomyślałem, że takie żarciki to na budowie normalka. No więc podniosłem jakiś młotek i spytałem Zioma, czy mogę powbijać gwoździe.

Ziom odparł, że byłoby EKSTRA, tylko że trzymam młotek dla LEWORĘCZNYCH i muszę poszukać odpowiedniego dla SIEBIE.

Zacząłem rozglądać się po budowie i dopiero po dłuższym czasie załapałem, że to też był ŻART.

Pomyślałem sobie, że ci goście mnie NIE SZANUJĄ, bo jestem najmłodszy.

Zorientowałem się, że chcą mnie ZNIECHĘCIĆ, ale nie zamierzałem dawać im takiej SATYSFAKCJI.

Postanowiłem, że dowiodę swojej WARTOŚCI. Będę harował do upadłego i piął się coraz wyżej po drabinie społecznej. I może za jakiś tydzień tak samo jak Ziom dorobię się własnych PODWŁADNYCH.

No więc zacząłem kręcić się po placu i szukać rzeczy, w których mógłbym pomóc. Napełniłem wodą wiadra gościom obsługującym betoniarkę, a potem zgarnąłem z drogi tłuczeń, żeby mogła przejechać ciężarówka.

Gdy przyszła pora na drugie śniadanie, byłem z siebie naprawdę ZADOWOLONY. Ale nie chciałem przerywać roboty, żeby ci kolesie nie wzięli mnie za BUMELANTA.

Dlatego gdy przyjechały kanapki, rozdałem wszystkim ich zamówienia. I w ten sposób zyskałem prawdziwą POPULARNOŚĆ.

Jeden facet o imieniu Luther właśnie mieszał beton, więc musiałem poczekać, aż będę mógł mu wręczyć jego bułę z klopsikami. A ponieważ chciałem być SUPERPOMOCNY, odpakowałem ją, żeby nie tracił czasu.

Niestety trochę się ZAGAPIŁEM i wszystkie klopsiki wleciały do wiadra z cementem.

Luther nie wyglądał mi na gościa, który dobrze przyjmie wiadomość o utracie KLOPSIKÓW. Dlatego RESZTĘ kanapki wrzuciłem do wiadra i dałem nogę.

I to była naprawdę MĄDRA decyzja. Bo kiedy Luther oskarżył Zioma o kradzież kanapki, atmosfera wyraźnie się ZAGĘŚCIŁA.

Wślizgnąłem się niepostrzeżenie do domu i zamknąłem za sobą drzwi. A kiedy tata spytał, dlaczego już NIE PRACUJĘ, odparłem, że przeszedłem na EMERYTURĘ.

Niedziela

Wszystko na budowie szło jak z płatka, gdy nagle zaczęli się skarżyć SĄSIEDZI. Pan Larocca powiedział, że nie może znieść tego ŁOMOTU, bo pracuje w szpitalu na nocną zmianę i kiedyś musi się wyspać.

Mama poprosiła robotników, żeby pracowali trochę ciszej, ale wyobrażam sobie, że to nie takie łatwe, kiedy wali się w ściany MŁOTKAMI.

Nasza druga sąsiadka, pani Tuttle, również wyraziła NIEZADOWOLENIE.

Ponoć któryś budowlaniec wjechał taczkami do jej ogródka i połamał kwiaty, za co pani Tuttle domaga się ODSZKODOWANIA.

Zresztą narzekają nie tylko NAJBLIŻSI sąsiedzi. Pani Rutkowski, która mieszka kawałek od nas po drugiej stronie ulicy, twierdzi, że jeden z jej kotów wbił sobie w łapkę gwóźdź na budowie. Dlatego tata musi teraz zapłacić za WETERYNARZA.

Wszystkie te skargi spowalniają ekipę i sprawiają, że budowa się PRZECIĄGA. Obecnie jedyną osobą, która swoje prace posuwa NAPRZÓD, jest MANNY.

Młody znalazł w piwnicy skrzynkę z narzędziami i wyjął z kontenera na gruz jakieś dechy. Nie mam pojęcia, co właściwie buduje w ogródku za domem, ale muszę przyznać, że JESTEM POD WRAŻENIEM.

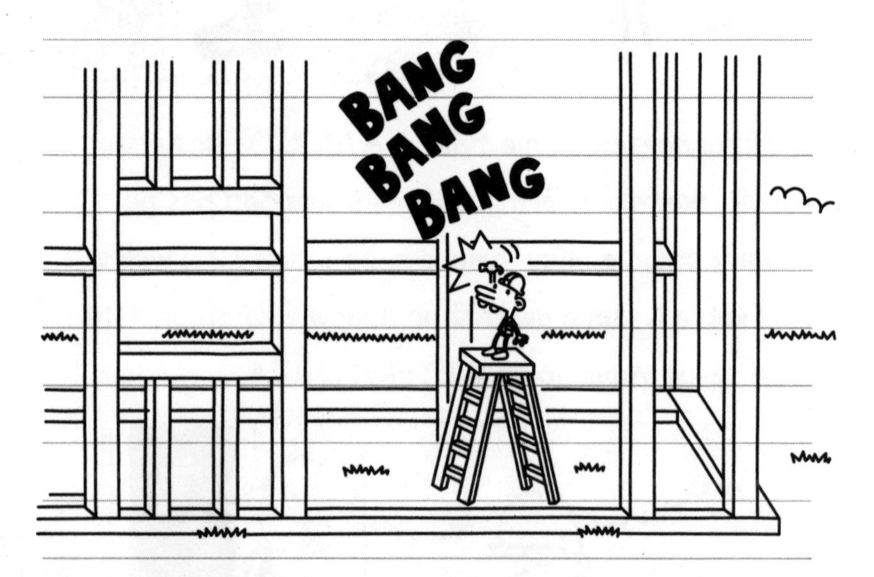

Kontener na gruz to najlepsza rzecz z tej całej budowy. Gdy tylko mój kosz na śmieci się zapełni, nie zawracam już sobie głowy opróżnianiem go jak dotąd. Po prostu wysypuję zawartość za okno.

A wiecie, co jest jeszcze FAJNIEJSZE? Nowy sposób wystawiania śmieci w niedzielę wieczorem. Bo to do moich obowiązków należy przyklejanie odpowiednich nalepek na worki i wynoszenie kubłów na chodnik. Mówię wam, DROGA PRZEZ MĘKĘ, zwłaszcza kiedy pada deszcz.

Teraz, gdy mamy kontener, w ogóle się nie przejmuję żadnymi NALEPKAMI. Po prostu wrzucam worki do środka i cześć.

Dziś wieczorem popełniłem jednak głupi błąd. Nie chciało mi się wyciągać każdego worka po kolei, więc spróbowałem opróżnić cały kubeł za jednym zamachem.

Ale nie miałem pojęcia, jak CIĘŻKI jest ten kubeł, i nie udało mi się go przechylić nad krawędzią kontenera. A potem wiaderko PRZEWAŻYŁO na moją stronę i śmieci wyleciały z worków.

I teraz odpadki były dosłownie WSZĘDZIE, a ja musiałem je wyzbierać.

CO GORSZA, wiał okropny wiatr, więc śmieci nie tylko walały się po ziemi, lecz także FRUWAŁY. No i powiem wam jedno. Uganianie się za nimi po ciemku to nie była jakaś superzabawa.

Całą godzinę wyciągałem odpadki z krzewów ozdobnych pana Larokki. Niestety zapomniałem o jego pracy na nocną zmianę i wpadłem na gościa, kiedy wychodził z domu.

Poniedziałek

Wczoraj położyłem się spać bardzo późno, bo musiałem długo przekonywać pana Laroccę, że nie owijam papierem toaletowym jego krzewów.

Naprawdę SZKODA, że nie mogłem się wyspać. Miałem dziś ważny test, no i chyba nieszczególnie mi poszło.

To był jeden z tych testów, które zdaje cała SZKOŁA. Nauczyciele przygotowują nas do niego całymi TYGODNIAMI, bo to, jak w nim wypadniemy, jest ponoć NIESAMOWICIE ważne.

W ZESZŁYM roku nasza szkoła raczej się nie popisała, a jeśli w TYM nie poprawi wyniku, obetną nam FUNDUSZE. Co oznacza, że niektórzy nauczyciele mogą stracić PRACĘ.

Uczniowie natomiast mogą stracić niektóre zajęcia dodatkowe, na przykład muzyczne czy plastyczne. Żałuję, że my, dzieciaki, nie mamy w sprawie cięć prawa głosu, bo gdybym to JA decydował, wuef zostałby skasowany JUŻ DAWNO.

Nauczyciele strasznie się boją tego testu, więc ostatnie tygodnie w szkole były ŚREDNIO fajne.

Presja fatalnie wpływa też na uczniów, dlatego w zeszłym tygodniu dyrekcja zaprosiła psa terapeutę. Ale na jego widok wybuchł taki entuzjazm, że terapeuta chyba sam potrzebował terapii.

Piesek ze stresu zaczął siusiać i biegać w kółko, więc trzeba go było zabrać. Wtedy dyrekcja postanowiła spróbować czegoś innego, to znaczy jaszczurkoterapii. No i tego terapeuty nikt już nie chce DOTYKAĆ.

A skoro już mowa o stresie, to nie bardzo mi się dziś chciało wracać ze szkoły. Wiedziałem, że robotnicy będą robić dziurę w domu, żeby połączyć z nim dobudówkę.

No a gdyby przypadkiem doszło do PRZECIĘCIA jakiejś RURY, wolałbym przy tym NIE BYĆ.

Rodrick doszedł do wniosku, że podczas rozwalania ściany zostanie użyta KULA DO ROZBIÓREK. No i wymyślił, że nagra z tego rozwalania teledysk.

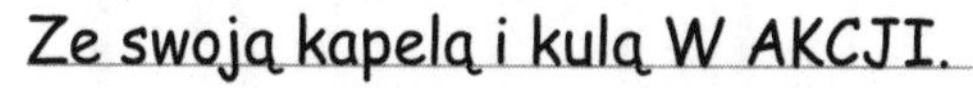

Ze swoją kapelą i kulą W AKCJI.

On i jego kumple byli bardzo rozczarowani, kiedy przyjechali pod dom i zobaczyli, że otwór już został zrobiony, w dodatku piłą elektryczną.

Ja natomiast poczułem ULGĘ, bo nie wypatrzyłem żadnych śladów FUGI. Chociaż to, co robotnicy znaleźli w ścianie, i tak okazało się MASAKRĄ.

Drewno pod sidingiem PRZEGNIŁO. Podobno przez przeciek w zapchanej rynnie. Okazało się też, że mieszkamy z jakąś TRUJĄCĄ PLEŚNIĄ.

Na domiar złego budowlańcy znaleźli w ścianie GNIAZDA, co oznacza, że dzielimy dom z bandą MYSZY.

Niedobrze mi na samą myśl o ŻYCIU toczącym się potajemnie w naszych ścianach. Dlatego postanowiłem, że mój przyszły dom będzie w STU PROCENTACH szklany.

Piątek

Odkąd przedziurawili nam ścianę, znajdujemy bobki na kuchennych blatach, a więc myszy są już w całym domu.

Mama mówi, żeby nie zostawiać na wierzchu żadnego jedzenia, bo inaczej będą łazić nam po stołach. W tej sytuacji staramy się NIE BRUDZIĆ, a ja chowam słodkie i słone przekąski tam, gdzie myszy się nie dostaną.

Tata czyta o różnych HUMANITARNYCH sposobach wyproszenia z domu gryzoni. Ale Rodrick zachwala zamiast tego SWÓJ pomysł. Chce kupić WĘŻA, a resztę pozostawić NATURZE.

Mama spytała go, co zrobimy, kiedy WĄŻ zje MYSZY, na co on stwierdził, że możemy wtedy kupić MANGUSTĘ, która załatwi WĘŻA. No cóż, przypomnijcie mi, proszę, żebym w dorosłym życiu NIGDY nie odwiedzał Rodricka.

Myszy jednak nie są naszym JEDYNYM problemem. Okazało się, że mamy też w domu OSY. Pierwszą mama znalazła wczoraj wieczorem na kominku, a druga latała dziś po kuchni, gdy jedliśmy ŚNIADANIE.

Nie mamy pojęcia, jak one dostają się do ŚRODKA, bo okna trzymamy zamknięte, a drzwi nie otwieramy BEZ POTRZEBY.

Mama uważa, że osy przełażą pod brezentem zasłaniającym wyrwę w ścianie. Dlatego kazała tacie sprawdzić, czy nie ma tam żadnej dziurki.

Tata nie był tym uszczęśliwiony, ponieważ na dworze szalała BURZA Z PIORUNAMI.

Naprawdę bym mu POMÓGŁ, tylko że bałem się RAŻENIA GROMEM. Albert Sandy opowiedział nam w szkolnej stołówce o takim jednym dzieciaku, którego trafił w łódce piorun i który teraz KOPIE PRĄDEM.

Wszystkie chłopaki, z którymi siedzę przy stole, uznały, że to MEGASPRAWA, ale ja wiedziałem, że wcale nie. Bo gdyby to MNIE przydarzyło się trafienie piorunem, na pewno musiałbym robić za żywą ładowarkę.

Rodrick też miał swoją teorię na temat os. NA MAKSA odjechaną.

Wyjaśnił nam, że jest MNÓSTWO gatunków os. Są osy leśne i osy dachowe, a więc my mamy prawdopodobnie OSY KLOACZNE, które dostają się do domu przez KIBELEK.

Cóż, nigdy wcześniej nie słyszałem o osach kloacznych, ale nie chcę RYZYKOWAĆ.

A więc teraz mamy problem z gryzoniami i problem z robalami. Trudno stwierdzić, który jest GORSZY. Naprawdę nie wiem, dlaczego nasz dom nie mógł zostać opanowany przez coś MILUTKIEGO.
Na przykład przez KOALE. Zapewniam was, że nie powiedziałbym im jednego złego słowa.

Sobota

W zeszłym tygodniu robotnicy musieli wyłączyć nam klimę, żeby zamontować większe urządzenie. Na razie śpimy w piwnicy, bo tylko w niej NIE JEST GORĄCO.

Już rozumiem, czemu Rodrick lubi tu przesiadywać, SZCZEGÓLNIE latem. Ja jednak nie czuję się najlepiej pod ziemią, co daje mi do myślenia w kwestii mojej REZYDENCJI.

Tata powiedział, że kiedy on był dzieciakiem, ludzie budowali BUNKRY, w których mogliby się schować na przykład podczas wojny.

Cóż, życie z całą moją rodziną w jakimś podziemnym schowku na szczotki wydaje się STRASZLIWYM nieporozumieniem. Przede wszystkim od razu skończyłyby się słodycze. A gdybyśmy mieli tylko jedną łazienkę, to byłby prawdziwy DRAMAT.

Pewnie w takim bunkrze zawsze jest peryskop, żeby wiedzieć, kiedy wyjść na powierzchnię. Ale gdyby to ustrojstwo się zatkało, moglibyśmy nigdy nie odkryć, że TEREN JEST CZYSTY.

Tata twierdzi, że niektórzy ludzie nadal budują bunkry. Na wypadek katastrof naturalnych, takich jak choćby TORNADO. No cóż, dziś rano myślałem, że zaczęło się TRZĘSIENIE ZIEMI, a jednak wcale nie pragnąłem nigdzie się zakopać.

Zresztą szybko do mnie dotarło, że ziemia trzęsie się z innego powodu. To robotnicy dawali czadu MŁOTAMI PNEUMATYCZNYMI.

Pruli nasz STARY podjazd, żeby móc położyć NOWY. Rozlegał się przy tym straszny HAŁAS, więc wiedziałem, że sąsiedzi nie będą zadowoleni. Zwłaszcza pan Larocca, który właśnie wrócił z nocnej zmiany w szpitalu.

Ale ja nie mogłem się już doczekać nowego podjazdu. Ten stary był w tak złym stanie, że nie dało się go do niczego UŻYWAĆ. Może właśnie dlatego ciągle jeszcze nie zabłysnąłem jako sportowiec.

Kiedy robotnicy uprzątnęli gruz i zaczęli wylewać beton, trochę się jednak ZESTRESOWAŁEM.

Mnóstwo dzieciaków w moim sąsiedztwie to GŁUPKI. Czułem, że jak tylko zobaczą niezastygnięty beton, będą chciały wypisywać w nim różne idiotyzmy.

Poza tym KOTY pani Rutkowski ostatnio często u nas bywają z powodu inwazji MYSZY. A ja naprawdę sobie nie życzę śladów łapek na moim podjeździe.

No więc gdy tylko budowlańcy skończyli, zacząłem odstraszać potencjalnych INTRUZÓW.

Choć nie spuszczałem oka z ULICY, szybko się okazało, że powinienem był raczej pilnować GARAŻU.

Nagle usłyszałem, jak brama się otwiera. To Rodrick wyjechał z garażu FURGONETKĄ. Próbowałem go ZATRZYMAĆ, ale miał podkręconą muzę i nic nie usłyszał.

Nie mogłem UWIERZYĆ, że rodzice nie powiedzieli Rodrickowi o podjeździe. Po chwili jednak zrozumiałem, że nie zdążyli, ponieważ zdarzyło się coś GORSZEGO.

Z okien na piętrze buchał DYM, a z oddali dobiegało wycie SYREN.

Mama wybiegła z domu. Zaraz za nią pojawił się tata.

Dziesięć sekund później czerwony wóz stanął przed naszym domem i ze środka wyskoczyli dwaj strażacy.

Puścili się biegiem przez trawnik i mokrą betonową drogę, którą robotnicy dopiero co położyli.

I właśnie wtedy wszyscy sobie przypomnieli, że Manny został w środku. Na szczęście młody miał już ten wariant PRZEĆWICZONY.

DOBRA wiadomość jest taka, że wcale nie wybuchł POŻAR. A ZŁA, że całe zamieszanie wynikło PRZEZE MNIE.

W zeszłym tygodniu, kiedy ukrywaliśmy jedzenie przed myszami, schowałem sobie coś na później w PIEKARNIKU.

Mama włączyła go dziś rano, żeby upiec boczek, a ta plastikowa torebka od razu się ROZPUŚCIŁA. Prawdziwy PECH, bo poszły z dymem świetne czipsy ziemniaczane.

To zdecydowanie był jeden z TYCH życiowych momentów, w których chętnie bym przeszedł przez szafę do innego świata.

Środa

Wierzcie lub nie, ale rodzice całkiem już zapomnieli o aferze z czipsami. To DOBRA wiadomość.

ZŁA jest taka, że mamy teraz DUŻO WIĘKSZY problem.

Parę dni temu zjawił się u nas inspektor budowlany, żeby przeprowadzić kontrolę.

No i podczas tej kontroli wykrył, że dobudówka znajduje się o METR za blisko działki pani Tuttle.

Pewnie budowlańcy namieszali podczas tworzenia projektu, a urzędnicy nie dopatrzyli się błędu, kiedy wydawali pozwolenie. Tak czy inaczej wszyscy zaczęli się wzajemnie oskarżać i nikt nie chciał wziąć odpowiedzialności za fuszerkę.

Inspektor budowlany powiedział, że jedyna rzecz, jaką możemy TERAZ zrobić, to poprosić naszą sąsiadkę, żeby podpisała zgodę na rozbudowę. Ale to nie było TAKIE PROSTE.

A to dlatego, że kiedy robotnicy wrócili załatać nasz podjazd i drogę, postawili betoniarkę na trawniku. I chyba zapomnieli, że jesteśmy na WZGÓRZU, bo bęben betoniarki się przewrócił, a świeżutki beton popłynął prosto do OGRÓDKA pani Tuttle.

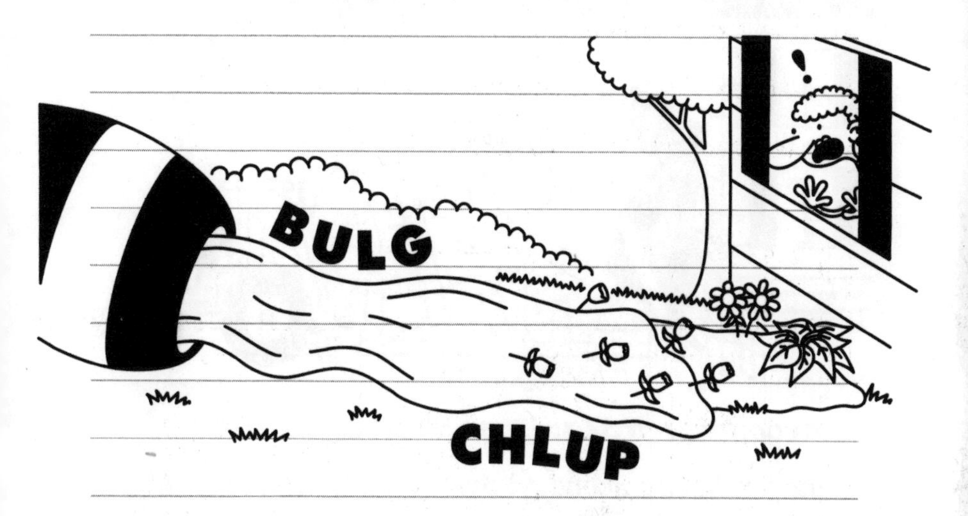

No więc gdy mama i tata poprosili ją o ZGODĘ, pani Tuttle ani się śniło wyświadczyć im sąsiedzką przysługę.

Pani Tuttle NIE USTĄPIŁA, a urzędnicy miejscy oznajmili rodzicom, że będą musieli dobudówkę ROZEBRAĆ. I właśnie TO nastąpiło dzisiaj po południu.

Dlatego teraz WSZYSCY są nieszczęśliwi. Poza Mannym. Młody ukończył dziś SWOJĄ budowę i urządził PARAPETÓWKĘ.

CZERWIEC

Czwartek

Odkąd nasza dobudówka RUNĘŁA, mama jest w podłym nastroju.

Myślałem, że po prostu zapomnimy o sprawie i zaczniemy od nowa, tym razem TAK JAK TRZEBA. Ale mama powiedziała, że wyrzuciliśmy w błoto większość pieniędzy po Rebie i że RESZTĘ wydamy na remont rozwalonej ściany.

Sami widzicie, że mama JUŻ WTEDY miała zły humor. A mój wynik z testu ANI TROCHĘ nie poprawił sytuacji.

Chociaż nie tylko MOJE stopnie były tragiczne. Cały ROCZNIK wypadł beznadziejnie i nawet wiem DLACZEGO.

W samym środku testu jakiś przygłup wypuścił z terrarium jaszczurkoterapeutę. A bardzo trudno SKUPIĆ SIĘ na sprawdzianie, gdy po klasie biega luzem GAD.

Szkoła tym razem chyba straci dofinansowanie, co naprawdę ZDENERWOWAŁO mamę.

W ogóle mama coraz częściej mówi o PRZEPROWADZCE. Najlepiej do miejsca, w którym są lepsze szkoły.

Ale nikt poza nią NIE MARZY o przeprowadzce. Tata, który się tu wychował, oświadczył, że nie widzi takiej POTRZEBY.

Rodrick TEŻ nie chce się przeprowadzać. Mówi, że jego kapela jest w naszym miasteczku LEGENDĄ i że nie zamierza zaczynać gdzieś od zera. Chociaż ja nie wiem, czy może nazywać się legendą ktoś, kto swój ostatni koncert dał w KRĘGIELNI.

Mój starszy brat zapowiedział, że W ŻYCIU stąd nie wyjedzie. I że RESZTA RODZINY może się wyprowadzić, ale on zostaje w piwnicy.

Wiecie co? On nawet by NIE ZAUWAŻYŁ, gdyby wprowadziła się tu INNA RODZINA.

Zresztą MANNY też się DONIKĄD nie wybiera. Właśnie zainwestował w zraszacze i jego ogród zaczyna wyglądać coraz fajniej.

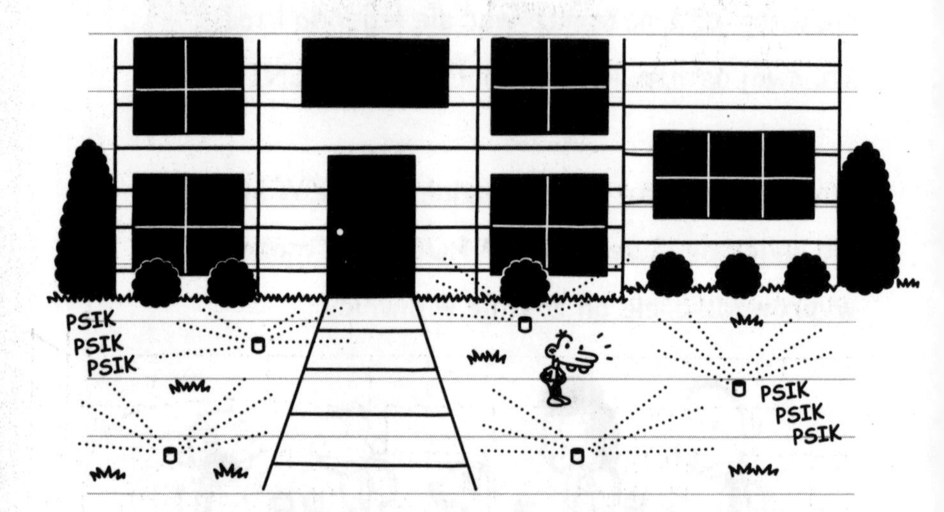

Szczerze mówiąc, sam nie wiem, co myśleć o tej przeprowadzce. Na starych śmieciach nie jest źle, ale może fajnie by było zacząć gdzie indziej Z CZYSTĄ KARTĄ?

W przeprowadzkach najbardziej podoba mi się to, że w nowym miejscu można całkowicie ZMIENIĆ WIZERUNEK.

Na przykład zadbać o odpowiedni look i zdobyć opinię BUNTOWNIKA.

Mógłbym sobie stworzyć zupełnie nową TOŻSAMOŚĆ i na przykład mówić ludziom, że jestem zawodowym snowboardzistą.

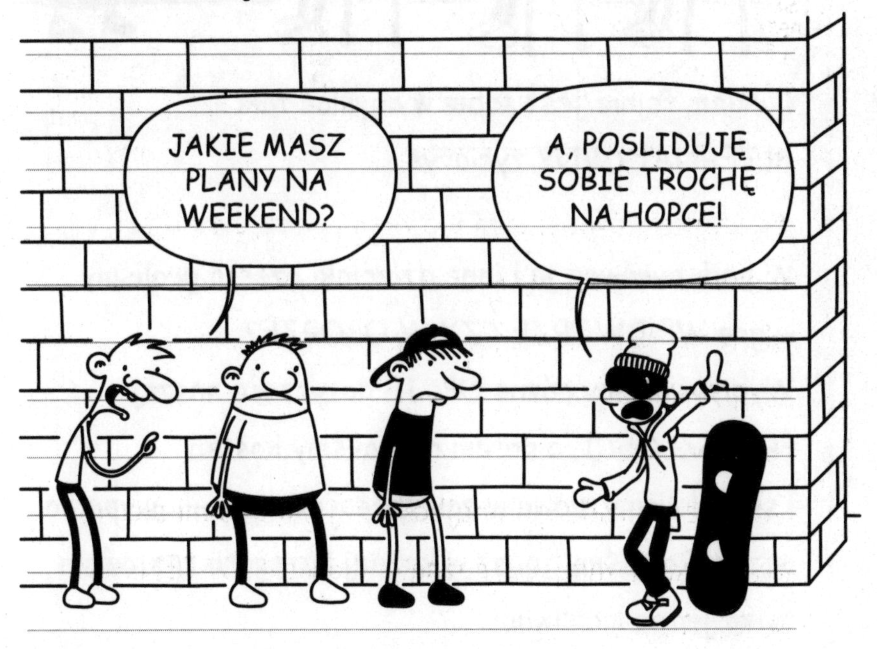

Albo mógłbym posunąć się JESZCZE dalej. Na przykład udawać, że przyjechałem z ZAGRANICY. Z kraju, w którym nie mówi się po angielsku.

Wtedy nauczyciele byliby zachwyceni tym, jak szybko przyswajam sobie nowe zwroty.

Całkiem fajnie jest sobie wymyślać taki ALTERNATYWNY życiorys.

W podstawówce ja i inne dzieciaki często graliśmy w grę WE DWORZE CZY W OBORZE? Wypisywaliśmy różne OPCJE dotyczące naszej PRZYSZŁOŚCI, a potem rzucaliśmy kostką i skreślaliśmy słowa w zależności od tego, ile wypadło oczek. Robiliśmy to, aż w każdej kategorii zostawała tylko jedna możliwość.

Parę tygodni temu znalazłem w szafie swoje wyniki z piątej klasy.

WE DWORZE CZY W OBORZE?

Mój dom

~~Rezydencja~~
Mieszkanie
~~Stodoła~~
~~Willa~~

Moja okolica

~~Góry~~
Pustynia
~~Dżungla~~
~~Lodowiec~~

Moja praca

~~Lekarz~~
Pracownik zoo
~~Hydraulik~~
~~Magik~~

Moja pensja

~~1 000 000 $~~
~~100 000 $~~
1000 $
~~0 $~~

Imię żony

~~Holly~~
~~Becky~~
Erin
____

Liczba dzieci

~~0~~
1
~~4~~
~~20~~

Zawsze kiedy w to grałem, miałem nadzieję na superwynik. Ale nawet gdy trafiałem na fajne odpowiedzi w większości kategorii, zawsze zostawała ta jedna, która RUJNOWAŁA mi przyszłość.

Moja praca

~~Kucharz~~
~~Prawnik~~
~~Malarz~~
Gwiazda rocka

Moje zwierzę

~~Pies~~
~~Panda~~
Kot
~~Wąż~~

Liczba dzieci

~~0~~
1
~~4~~
~~10~~

Moja okolica

~~Góry~~
~~Miasto~~
Lodowiec
~~Las~~

Lubiłem tę grę między innymi dlatego, że pozwalała na INTERAKCJĘ z dziewczynami podczas przerwy. A w tamtych latach ze wszystkich dziewczyn NAJBARDZIEJ podobała mi się Becky Anton.

Z jej powodu czasem OSZUKIWAŁEM, wypisując opcje w jednej z kategorii.

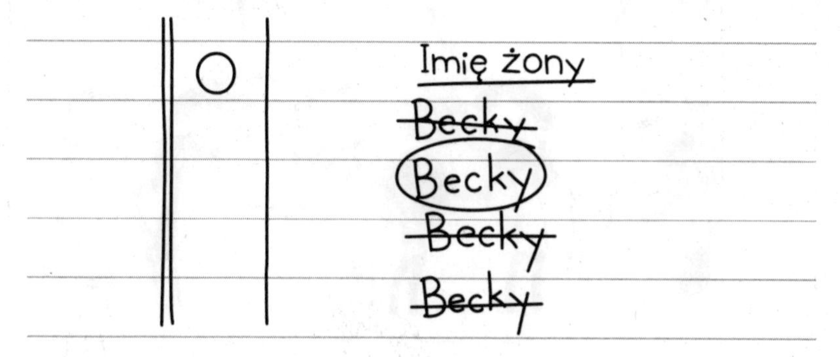

Dziś Becky ledwie mnie KOJARZY, mimo że ona i ja jesteśmy w parze na zajęciach z przyrody. Chyba powinienem jej wspomnieć, że zdaniem OPATRZNOŚCI kiedyś się POBIERZEMY, ale jakoś nigdy nie ma OKAZJI.

To KOLEJNY powód, żeby się przeprowadzić. W innej szkole mógłbym RADYKALNIE poprawić swoje notowania u DZIEWCZYN. Bo nic na świecie nie działa na nie bardziej niż NOWY.

Na początku tego roku szkolnego nowym był Kelson Garrity. Jak tylko się pojawił, dziewczyny OSZALAŁY.

Dopiero po paru tygodniach wszyscy załapali, że Kelson jest trochę DZIWNY. No i teraz dziewczyny omijają go SZEROKIM ŁUKIEM. Ale tak czy inaczej miał swoje pięć minut.

Czyli jest sporo PLUSÓW przeprowadzki. Jedyny MINUS to konieczność znalezienia sobie nowego NAJLEPSZEGO PRZYJACIELA.

Chociaż nie wiem, czy w ogóle WARTO szukać. Zainwestowałem mnóstwo czasu i energii w Rowleya i jakoś nie widzę przechodzenia przez to wszystko JESZCZE RAZ.

Jeśli się przeprowadzę, będę miał całą listę WYMAGAŃ wobec kandydata na najlepszego przyjaciela.

Po PIERWSZE: musi lubić PATRZEĆ, jak ktoś gra w gry wideo.

Po DRUGIE: byłoby miło, gdyby umiał RYSOWAĆ. Bo ja bardzo się interesuję wymyślaniem komiksów.

I po TRZECIE: musi mieć w domu niezdrowe płatki śniadaniowe. Nie wytrzymałbym z kolejnym dzieciakiem, którego rodzice są zakręceni na punkcie zdrowego odżywiania.

Ale najważniejsze jest to, żeby miał POCZUCIE HUMORU. Bo JEDNO musicie o mnie wiedzieć. Lubię sobie czasem zażartować.

Sobota

No więc już wiadomo, że mama SERIO myśli o tej przeprowadzce. Co wieczór ogląda w sieci różne domy i powiem wam, że ja TEŻ się w to wciągnąłem.

Tylko że JAK DOTĄD każda nieruchomość miała jakąś WADĘ. Dom z bardzo dużym ogrodem stał obok oczyszczalni ścieków. Inny był zupełnie nowy, ale z jedną jedyną łazienką. Ja i mama już chcieliśmy się poddać, kiedy nagle znaleźliśmy DOM IDEALNY.

Ten dom ma zaledwie kilka lat, a sąsiedztwo robi miłe wrażenie. Ale mamę NAJBARDZIEJ oczarowała duża KUCHNIA.

Okazało się też, że pobliska szkoła wypadła całkiem nieźle W TEŚCIE. No więc mama zadzwoniła do pośredniczki i zapytała, kiedy możemy OBEJRZEĆ nieruchomość.

A pośredniczka odparła, że w ten weekend jest dzień otwarty i żebyśmy wpadli. I właśnie dlatego dziś rano mama zapakowała nas wszystkich do auta.

Tata, Rodrick i Manny nie byli ZACHWYCENI, bo, jak już wam mówiłem, oni NIE CHCĄ się przeprowadzać.

Ale gdy dotarliśmy na miejsce, zaśpiewali INACZEJ.

Pośredniczka pokazała nam dom, który był DUŻO ładniejszy od naszego. A kuchnia okazała się nawet większa niż na ZDJĘCIACH.

Mnie natomiast totalnie rozwaliła PŁYWALNIA w ogrodzie.

Rodrick i Manny chyba przyuważyli ją wcześniej, bo kiedy tam trafiłem, oni już się chlapali.

My, chłopaki, OD ZAWSZE męczymy rodziców o basen. Mama i tata twierdzą, że wanna z hydromasażem jest tak samo FAJNA, ale wierzcie mi, NIE JEST.

W dodatku basen w tym domu na sprzedaż był PRAWDZIWY. Taki zwykły brodzik w ogródku to my już kiedyś mieliśmy i nie przetrwał nawet TYGODNIA.

Pośredniczka zachwalała nam różne zalety domu. Chociaż wcale NIE MUSIAŁA się starać, bo my byliśmy już KUPIENI.

W drodze powrotnej nie opuszczał nas ENTUZJAZM. Rodrick zapowiedział, że będzie urządzał na basenie letnie KONCERTY i że w piątkowe noce BĘDZIE SIĘ DZIAŁO.

Ja postanowiłem POBIERAĆ OPŁATY od ludzi, którzy zechcą skorzystać z basenu. Ale NIE OD WSZYSTKICH.

Najbardziej podekscytowany był jednak Manny. On również miał względem basenu WIELKIE PLANY. Mogę powiedzieć tylko tyle: poleje się dużo BUDYNIU CZEKOLADOWEGO.

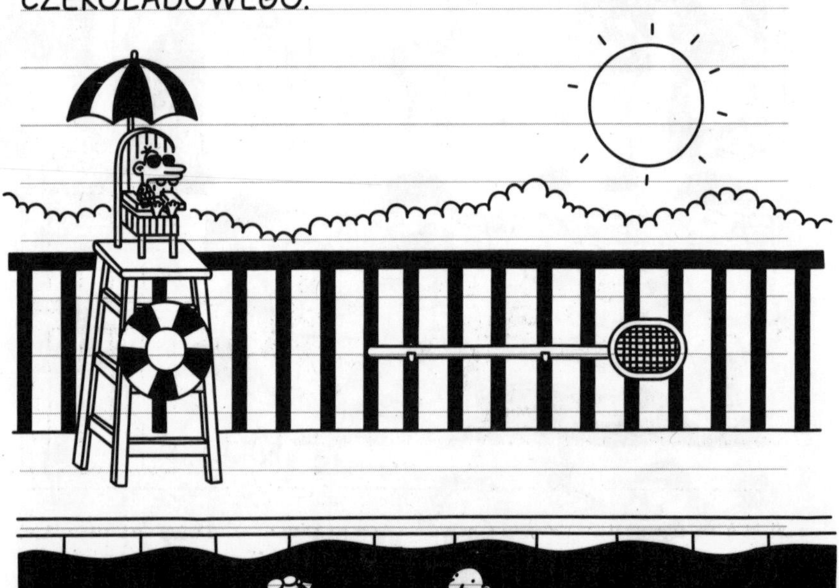

Poniedziałek

Wczoraj wieczorem mieliśmy kolejną naradę rodzinną. Tym razem SUPERWAŻNĄ. I na szczęście wszyscy byliśmy ZA przeprowadzką do nowego domu.

Mama poprosiła, żebyśmy na razie NIE MÓWILI nikomu o przeprowadzce, bo zanim kupimy TAMTEN dom, musimy sprzedać NASZ. No ale trudno mi było zachować sprawę w zupełnej tajemnicy, więc uznałem, że jak powiem JEDNEJ osobie, nic się nie stanie.

Tylko że chyba źle wybrałem tę osobę, bo ROWLEY nie najlepiej przyjął nowinę.

Może powinienem był jakoś przygotować go na PRAWDĘ, zamiast walić ją między oczy.

Próbowałem pocieszyć Rowleya, mówiąc, że pozostaniemy PRZYJACIÓŁMI i że w LUŹNIEJSZE dni będzie mógł korzystać z mojego basenu. Ale to WCALE nie poprawiło mu humoru.

Mam nadzieję, że Rowley jakoś się w końcu pozbiera, bo chyba nie zniosę tylu łez każdego dnia.

Po obiedzie mama zadzwoniła do koleżanki, która jest agentką biura nieruchomości, żeby pomogła nam sprzedać dom. No więc obeszliśmy wszystkie pokoje z panią Laghari, a ona powiedziała, co musimy ZMIENIĆ, zanim wystawimy dom na sprzedaż.

Kazała nam pomalować ściany, kupić nowe dywany i glazurę do kuchni oraz łazienek. A to był dopiero POCZĄTEK.

Dodała też, żebyśmy pochowali wszystkie rodzinne zdjęcia, bo kupujący chce w oglądanym domu wyobrazić sobie SAMEGO SIEBIE. Cóż, z tym wymogiem nie miałem NAJMNIEJSZEGO problemu. U nas w domu wiszą fotki, które już dawno powinny były ZNIKNĄĆ.

Potem pani Laghari zaznaczyła, że podczas dnia otwartego drzwi do piwnicy muszą pozostać zamknięte, tak by nikt nie zobaczył, co się w niej znajduje.

I wreszcie oznajmiła, że w dniu otwartym nasze „staroświeckie" meble najlepiej byłoby przykryć prześcieradłami. To chyba jednak zraniło uczucia mamy, która stwierdziła, że ludzie bardzo chwalą jej WNĘTRZARSKI GUST.

Na co pani Laghari odparła, że jeśli nie zastosujemy się do zaleceń, ona może nie znaleźć kupca. A wtedy mama oświadczyła, że w takim razie sprzedamy dom SAMI, i odprowadziła swoją znajomą do wyjścia.

To, jak sądzę, oznacza, że mama i pani Laghari nie są już KOLEŻANKAMI. Co jednak nie ma żadnego znaczenia, bo przecież się przeprowadzamy.

Niedziela

Mama chce dowieść, że nasz dom jest wspaniały bez ŻADNYCH przeróbek, dlatego wystawiliśmy go na sprzedaż, niczego nie zmieniając. Dzień otwarty był dziś po południu, ale przygotowywaliśmy się do niego przez cały TYDZIEŃ.

Do MOICH obowiązków należało napisanie ogłoszenia, więc użyłem WYOBRAŹNI, żeby odróżniało się od pozostałych.

Dom z czterema sypialniami i trzema łazienkami w sympatycznej okolicy. Własność emerytowanego złodzieja, który okradał banki. Możliwość odnalezienia pod podłogą złota i/lub cennych starych monet.

Zrobiliśmy zdjęcia każdego pokoju i dodaliśmy do anonsu. Tylko że podczas sesji mieliśmy w domu niezły BAŁAGAN, dlatego musieliśmy trochę PRZEARANŻOWAĆ przestrzeń.

Dzień otwarty zaczynał się w południe, czyli musieliśmy konkretnie zasuwać ze sprzątaniem. Zrobiliśmy, co tylko było w naszej mocy, i wybiegliśmy na dwór na moment przed przybyciem pierwszych oglądających.

Ale trudno nam było usiedzieć BEZCZYNNIE w samochodzie, kiedy OBCY LUDZIE wchodzili do naszego domu.

Mama powiedziała, że nikt z klientów nie wie, kim jesteśmy, dlatego my TEŻ możemy wejść do środka i udawać KUPUJĄCYCH. A to pozwoli nam przysłuchiwać się rozmowom.

Zapowiadała się niezła ZABAWA, dlatego razem z mamą wróciłem do środka. RESZTA Heffleyów uznała ten pomysł za idiotyczny i została w aucie.

No i faktycznie nasze szpiegowanie okazało się BŁĘDEM. Większość ludzi nie miała NIC miłego do powiedzenia o domu, a my z trudem znosiliśmy ich krytyczne uwagi.

Mama przeżywała to wszystko bardziej niż ja. Zawsze gdy padały jakieś PRZYKRE słowa, stawała w obronie domu.

W końcu mama tak się zdenerwowała, że wróciła do vana. Ja jednak wolałem mieć tych ludzi na oku, bo nie podobało mi się, że myszkują po całym domu.

Ale nie wszyscy oglądali dom. W salonie zebrała się grupka mężczyzn, którzy włączyli sobie mecz futbolu amerykańskiego. I najwyraźniej położyli łapska na naszych CZIPSACH.

Ci goście puścili luzem swoje dzieciaki i zamiast się nimi zająć, oglądali telewizję. Najwyraźniej wykorzystali nasz dzień otwarty, żeby od nich ODPOCZĄĆ.

Tatusiowie mieli w nosie, co robią ich POCIECHY, więc to JA musiałem przypilnować, żeby czegoś NIE POTŁUKŁY.

Ale nie mogłem być w kilku miejscach JEDNOCZEŚNIE i kiedy próbowałem wygonić smarkaczy z łazienki na górze, nagle usłyszałem jakiś hałas dobiegający z dołu.

Brzmiało to tak, jakby któryś knypek przewrócił LODÓWKĘ albo coś w tym stylu. Pobiegłem na dół, żeby sprawdzić, czy wszyscy ŻYJĄ, a wtedy się okazało, że to nie DZIECIAK narozrabiał, tylko TATUŚ.

Jeden z ojców zapuścił się do pralni w poszukiwaniu CZIPSÓW, ale na jego nieszczęście właśnie tam upchnęliśmy wszystkie rzeczy, które nie zmieściły się GDZIE INDZIEJ.

Hałas chyba nieźle wystraszył innych tatków, bo zgarnęli dzieciarnię i DALI NOGĘ.

I taki był koniec dnia otwartego. Nikt nie złożył ANI JEDNEJ oferty.

Podczas obiadu wszyscy mieliśmy grobowe miny. Ale kiedy wzięliśmy się do zmywania naczyń, ktoś zapukał do drzwi.

To było małżeństwo, które przyjechało z daleka i spóźniło się na dzień otwarty. Mama zaprosiła tych ludzi do środka, żeby pokazać im pokoje. Wtedy oni ZACHWYCILI SIĘ naszym domem, a kobieta powiedziała DOKŁADNIE to, co mama chciała usłyszeć.

I wierzcie lub nie, ale oni od razu złożyli nam ofertę.

Sobota

Musiałem powiedzieć Rowleyowi, że mamy kupca na dom. Nie chciałem jednak POWTÓRKI z poprzedniego razu.

Aż nagle wpadłem na pewien pomysł. W jednej z książeczek o Dziobaku Dominiku pojawia się TAKI SAM problem, więc doszedłem do wniosku, że to IDEALNY sposób przygotowania Rowleya na naszą przeprowadzkę. I dlatego zabrałem tę książkę, idąc do niego do domu.

Czułem się DZIWNIE, czytając na głos Rowleyowi. Ale on jest do takich rzeczy PRZYZWYCZAJONY, więc po prostu przybrał wygodną pozycję.

Nie sądzę jednak, aby przekaz w ogóle do niego TRAFIŁ. Mnie natomiast ta opowieść STRASZNIE zdenerwowała. Była w niej mowa o najlepszym kumplu Dziobaka Dominika, Pelikanie Piotrusiu, i o tym, że ci dwaj WSZYSTKO robią razem.

Ale pewnego dnia Pelikan Piotruś mówi, że się PRZEPROWADZA, i Dziobak Dominik jest smutny. No i do tego momentu historia jest W PORZĄDKU.

Potem jednak mama Dominika radzi mu, żeby się nie martwił, bo po wyjeździe Piotrusia pozna NOWYCH PRZYJACIÓŁ i wszystko będzie dobrze. I RZECZYWIŚCIE, na koniec książki to właśnie się dzieje.

Czyli tak naprawdę Dziobak Dominik od razu zapomina o Pelikanie Piotrusiu, WYPINAJĄC SIĘ na ich wieloletnią przyjaźń. A my nic nie wiemy o dalszych losach Pelikana Piotrusia. Nie wiemy nawet, czy w nowym miejscu Piotruś jest SZCZĘŚLIWY.

Miałem ochotę napisać nieprzyjemny list do AUTORA tej szmiry. Ale Rowleyowi oczywiście historia się podobała. Chciał nawet, żebym mu ją przeczytał JESZCZE RAZ.

Postanowiłem jednak nie owijać dłużej w bawełnę i wreszcie powiedziałem to, co miałem do powiedzenia. No i już w tej samej sekundzie GORZKO tego ŻAŁOWAŁEM.

Poprosiłem Rowleya, żeby tak nie rozpaczał, bo sprawa nie jest jeszcze przesądzona. Ale to było jak rzucać grochem o ścianę.

Musiałem w końcu zagrozić, że jak się nie uspokoi, to PÓJDĘ DO DOMU.

Dopiero wtedy Rowley obiecał, że weźmie się w garść. Chociaż nadal był nieco ROZTRZĘSIONY.

Może W OGÓLE nie powinienem był mu mówić. Gdybym po prostu PO WSZYSTKIM wysłał mu pocztówkę, OBU nam byłoby dużo łatwiej.

Środa

Właściciele domu z basenem przyjęli naszą ofertę, więc to chyba NAPRAWDĘ SIĘ DZIEJE.

Natomiast ludzie, którzy kupują NASZ dom, w weekend przyjechali na inspekcję, no i znaleźli parę rzeczy, które musimy naprawić przed podpisaniem umowy. NAJPOWAŻNIEJSZY problem jest z sufitem pod kabiną prysznicową rodziców.

Wygląda na to, że zapchana rynna narobiła więcej szkód, niż SĄDZILIŚMY. Podłoga pod kafelkami w łazience zupełnie przegniła, więc przed przeprowadzką musimy ją WYMIENIĆ.

Mamy prawdziwe szczęście, że ta podłoga TYLE wytrzymała. Bo mogło się stać coś STRASZNEGO. Nawet STRASZNIEJSZEGO od FUGI.

Kupujący chcą też, żebyśmy pozbyli się WANNY Z HYDROMASAŻEM. Mają małe dzieci i boją się o ich bezpieczeństwo. I wiecie co? Popieram ich w STU PROCENTACH.

Teraz, kiedy wiem NA PEWNO, że się przeprowadzamy, CAŁKOWICIE straciłem zainteresowanie szkołą. Już prawie wakacje, więc zapytałem mamę, czy nie DAROWAŁABY mi reszty zajęć.

Mama jednak odparła, że jeśli przestanę chodzić do szkoły, ją i tatę mogą wtrącić do WIĘZIENIA. Przez chwilę się zastanawiałam, czy nie zaryzykować, ale w końcu doszedłem do wniosku, że ZACISNĘ ZĘBY.

Gdy zdałem sobie sprawę, że w przyszłym roku wcale mnie tu nie będzie, zdobyłem się na odwagę i wreszcie wyznałem Becky Anton, że ją LUBIĘ. Na przyrodzie powiedziałem jej, że już w piątej klasie skradła mi serce.

Ale Becky od razu poleciała na skargę do nauczyciela, no i w pięć minut załatwiła mi nowego partnera do ćwiczeń. A ja znowu się zastanawiam, czy nie posłać rodziców do pudła, bo nie wiem, czy wytrwam do końca roku w towarzystwie Kelsona Garrity'ego.

To jednak nie jest jeszcze NAJWIĘKSZY problem. Odkąd oficjalnie poinformowałem Rowleya, że się PRZEPROWADZAM, koleś jest W ROZSYPCE. Chociaż ciągle obiecuje, że się NIE ROZKLEI, najdrobniejsza rzecz potrafi wyprowadzić go z równowagi.

A jeśli nawet chwilowo panuje nad sobą, mówi rzeczy, które wpędzają mnie w POCZUCIE WINY.

Wracając dziś ze szkoły, musieliśmy iść po trawie, bo właśnie wylano nowy chodnik. I wtedy Rowley wpadł na pewien POMYSŁ. Powiedział, że powinniśmy napisać patykiem na mokrym betonie nasze IMIONA, a pod spodem dodać, że jesteśmy NAJLEPSZYMI PRZYJACIÓŁMI.

Poczułem się trochę nieswojo na myśl, że miałbym coś zadeklarować w tak TRWAŁYM materiale jak beton. Zwłaszcza że nie wiem, jak moja sytuacja towarzyska będzie wyglądać w nowym miejscu. Nie chciałem jednak tłumaczyć tego Rowleyowi, bo wiedziałem, że znowu się podłamie.

No więc po prostu dopisałem patykiem pewne UŚCIŚLENIE.

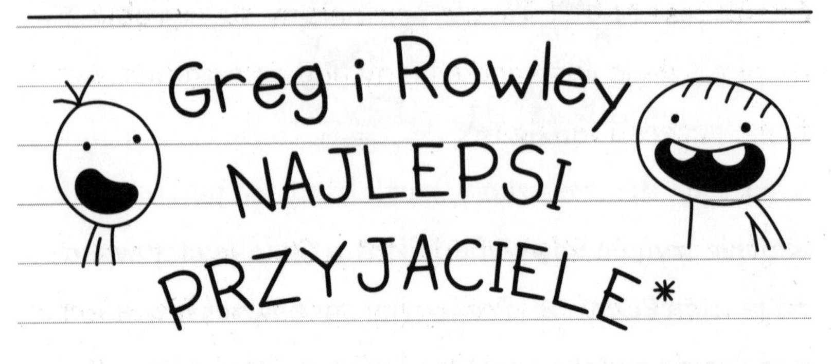

Sobota

Szkoła skończyła się tydzień temu i podczas gdy CAŁY ŚWIAT korzysta z wakacji, my PAKUJEMY KLAMOTY.

Mama opracowała specjalny harmonogram i każdy domownik odpowiada za spakowanie swoich rzeczy. Grafik jest NAPIĘTY, ale powinniśmy się wyrobić do przyszłego weekendu, kiedy pod dom podjedzie firma przeprowadzkowa.

Najbardziej GUZDRZE SIĘ tata. Chce mieć pewność, że jego figurki z makiety wojny secesyjnej nie ucierpią, dlatego do zapakowania KAŻDEJ zużywa całą rolkę folii bąbelkowej.

Mama długo się łudziła, że sąsiedzi wyprawią nam przyjęcie pożegnalne. Ale przez plac budowy, który im tu zafundowaliśmy, chyba straciliśmy nieco na POPULARNOŚCI. Dlatego w końcu mama postanowiła, że SAMI urządzimy imprezkę.

Impreza odbyła się dziś wieczorem. Rozesłaliśmy zaproszenie do wszystkich z naszej ulicy i poczyniliśmy odpowiednie przygotowania w ogródku.

Rodrick strasznie się podjarał, bo rodzice pozwolili mu zagrać na przyjęciu z kapelą, a nawet obiecali, że ZAPŁACĄ. Wciąż jeszcze męczyliśmy się z dekoracjami, kiedy zaczęli przychodzić pierwsi goście.

Nie byłem pewien, czy W OGÓLE powinienem zapraszać Rolweya na przyjęcie, bo bałem się jego kolejnego załamania nerwowego. Ale wiecie co? Ucieszyłem się, gdy gościa zobaczyłem.

Rodzice Rowleya byli tacy ZADOWOLENI, że aż wydało mi się to podejrzane. PRAWIE sobie pomyślałem, że cieszą się z mojego wyjazdu.

Rowley powiedział, że ma dla mnie PREZENT. A była to wielgachna wyklejanka z naszymi wspólnymi zdjęciami z wielu lat. No i nie powiem, naprawdę poczułem coś w rodzaju WZRUSZENIA.

Byłem przeszczęśliwy, że Rowley poprzestał na wyklejance. On ostatnio tak świruje, że nie zdziwiłbym się, gdyby dał mi na pamiątkę na przykład swój PALEC.

Oświadczył, że mogę powiesić wyklejankę w swoim NOWYM pokoju, bo wtedy zawsze będę pamiętać, jak świetnie się razem bawiliśmy. No i nie wiem, czy tego wieczoru pyliło jakieś drzewo, CZY JAK, ale nagle poczułem, że coś wpadło mi do oka.

Jak dla mnie zrobiło się jednak trochę zbyt łzawo, więc odetchnąłem z ulgą, kiedy przyszło WIĘCEJ ludzi.

Potem sprawy potoczyły się BARDZO szybko. Kapela Rodricka zaczęła grać na werandzie, a muza przyciągnęła nastolatków balujących na imprezie z okazji ukończenia szkoły parę domów dalej. Już chyba WSZYSCY z naszej ulicy wbili na przyjęcie pożegnalne Heffleyów i zaczęło się TOTALNE szaleństwo.

Ale to jeszcze był MAŁY PIKUŚ w porównaniu z imprezą MANNY'EGO. Gdy ja już kładłem się spać, u niego trwała w najlepsze balanga.

Niedziela

Muszę przyznać, że NIEŹLE się wczoraj bawiliśmy. Ale złapałem DOŁA, bo WYJEŻDŻAMY, właśnie kiedy zaczęło się tu FAJNIE dziać.

Dziś rano obudziłem się pierwszy. A gdy wyjrzałem przez okno, zrozumiałem, że czeka nas cały dzień sprzątania.

Szkoda, że nie mieliśmy już tego KONTENERA NA GRUZ, bo on OGROMNIE ułatwiłby sprawę.

Kiedy tak sobie patrzyłem na ulicę, nagle dwie wielkie ciężarówy stanęły przy krawężniku. Byłem TOTALNIE zaskoczony, bo przecież mieliśmy się przeprowadzać za tydzień.

Jacyś goście wyskoczyli z wozu, a jeden z nich ruszył w stronę naszych drzwi. No więc wyszedłem mu na spotkanie.

Koleś oświadczył, że ekipa jest gotowa do wynoszenia rzeczy i chce wejść do środka. W tym momencie mama, która już zeszła na dół, także stanęła w drzwiach.

Powiedziała facetowi, że przyjechał o tydzień ZA WCZEŚNIE i że się przeprowadzamy w NASTĘPNĄ niedzielę. Ale wtedy facet wyciągnął UMOWĘ, z której wynikało, że przeprowadzka ma być DZIŚ. No a na tej umowie widniał podpis MAMY.

Mama oznajmiła, że musiała się pomylić, i dodała, że nie jesteśmy jeszcze gotowi. Na co gość stwierdził, że w takim razie poniesione koszty nie zostaną jej zwrócone. Czyli że jeśli nie przeprowadzimy się dziś, nasza kasa PRZEPADNIE.

Wtedy mama wpadła w PANIKĘ. Zerwała wszystkich domowników z łóżek i kazała nam ZBIERAĆ MANATKI. Goście od przeprowadzki powiedzieli, że mamy dwie godziny na załadowanie ciężarówki, dlatego musieliśmy konkretnie się sprężać.

Dotąd pakowaliśmy rzeczy z wielką starannością, żeby niczego nie uszkodzić. Teraz jednak nie było już na to czasu.

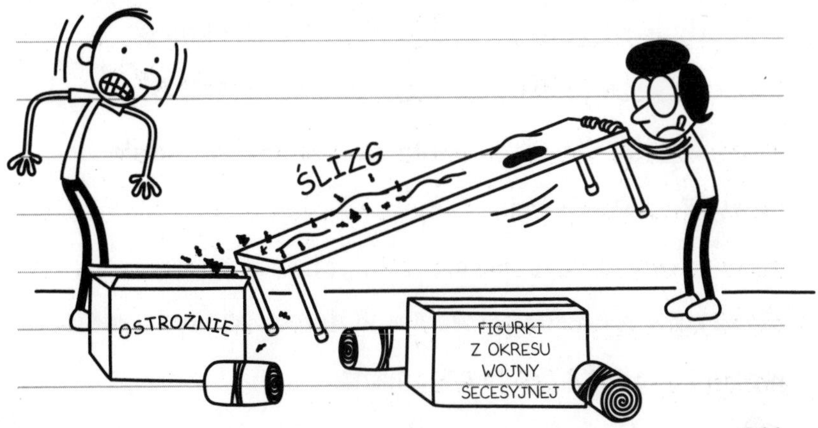

Ludzie z firmy przeprowadzkowej naprawdę mieli GDZIEŚ, czy coś się potłucze. Więc pomysł, żeby to oni pakowali ZASTAWĘ STOŁOWĄ, chyba nie był najlepszy.

Gdy mama poprosiła, żeby raczej zajęli się MEBLAMI, zeszli do piwnicy, bo chcieli zacząć TAM.

I wtedy ktoś zadzwonił do drzwi. To był koleś, którego wynajęliśmy do wywiezienia WANNY Z HYDROMASAŻEM. Tylko że gość zaparkował dźwigiem od frontu.

Zważywszy, co rozpętało się w domu, zdecydowanie wybrał sobie FATALNY moment.

Operator dźwigu powiedział, że nie może przejechać na tył, nie tratując kwiatków naszej sąsiadki. Dlatego postanowił przetransportować wannę na haku NAD domem.

To było dla mnie jakieś WARIACTWO, ale doszedłem do wniosku, że gość wie, co robi.

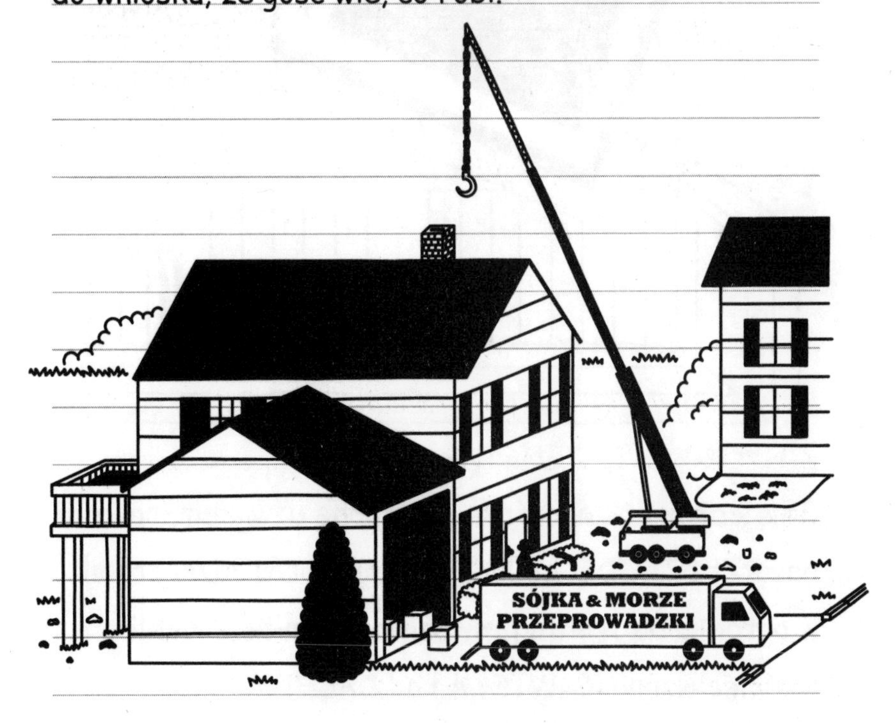

Pokazałem facetowi od dźwigu, gdzie stoi wanna, a on zamocował na niej pasy. Potem zaczepił o pasy wielki HAK i podniósł wannę z werandy.

Gdy jednak chciał cofnąć się trochę dźwigiem, natrafił na PRZESZKODĘ, bo ludzie od przeprowadzki zrobili w ogródku od frontu prawdziwą piramidę z mebli. No więc wanna ZAWISŁA nad DACHEM.

A wtedy NA DOMIAR ZŁEGO zobaczyłem przed domem ROWLEYA.

Nie miałem jednak CZASU, żeby się z nim cackać, bo niespodziewanie pojawił się NOWY problem.

Pamiętacie gostka z Whirley Street? Tego od mojej garażówki? Właśnie zaparkował przed domem i zaczął zabierać MEBLE, które ludzie od przeprowadzki zostawili przy krawężniku. A ja nagle sobie przypomniałem, ze jest NIEDZIELA, czyli dzień, w którym wystawia się ŚMIECI.

Wymachując rękami, próbowałem pokazać kolesiowi na migi, żeby zostawił naszą własność. Ale operator dźwigu pomyślał, że daję mu znaki, by się cofnął, bo droga jest wolna. CO TEŻ ZROBIŁ.

I taki był koniec naszej SOFY.

Dźwig się zatrzymał, ale nie WANNA. Zatoczyła parę kółek nad domem, aż w końcu walnęła w KOMIN.

Cegły posypały się z dachu, a mama i tata, którzy wybiegli, żeby zobaczyć, O CO CHODZI, cudem uniknęli śmierci.

W tym momencie pomyślałem, że już po wszystkim, bo nie sądziłem, że coś JESZCZE może się wydarzyć. Ale byłem w BŁĘDZIE.

Okazało się, że w KOMINIE założyły gniazdo OSY, które właśnie tamtędy dostawały się do domu. A teraz DYSZAŁY ŻĄDZĄ ZEMSTY.

Wszyscy uciekliśmy przed osami do środka. No, prawie wszyscy. Operator dźwigu NIE ZDĄŻYŁ.

Osy wleciały mu do kabiny, przez co gość w panice kopnął drążek i puścił WANNĘ, która przedziurawiła dach i wleciała nam do domu.

Będę z wami szczery. Poczułem wtedy coś w rodzaju ULGI. Przecież gorzej już być NIE MOGŁO.

Czwartek

Dobra strona sytuacji jest taka, że Rodrick ŻYJE.

Wanna wylądowała w samym środku jego sypialni, dlatego w pierwszej chwili pomyśleliśmy, że został ZMIAŻDŻONY. Ale szybko się okazało, że kiedy ludzie od przeprowadzki wyciągali meble z piwnicy, wytachali też łóżko ze śpiącym na nim Rodrickiem i załadowali do ciężarówki.

Wszystkie inne strony sytuacji są ZŁE. Małżeństwo, które chciało kupić nasz dom, wycofało się, co oznacza, że my również nie kupimy tej pięknej willi z basenem. Cóż, wiele wskazuje na to, że jeszcze chwilę tu POBĘDZIEMY.

Coś wam powiem. Wcale nie jestem przekonany, że byłem gotowy na tę przeprowadzkę. Rozglądanie za nowym najlepszym przyjacielem to straszna męka, a zresztą wciąż muszę nauczyć Rowleya różnych rzeczy, o których on nie ma pojęcia.

Pewnie powinienem wyciągnąć jakąś NAUKĘ z tego, co się wydarzyło. Na przykład: „Lepszy wróbel w garści niż gołąb na dachu". Albo: „Wszędzie dobrze, ale w domu najlepiej". Tylko że to są bzdety z książeczek dla małych dzieci.

Mądrość, którą ja wyniosłem z tej przygody, jest następująca. Choćby nie wiem co, nie spóźnij się na pogrzeb staruszki. Bo SŁONO za to ZAPŁACISZ.

PODZIĘKOWANIA

Dziękuję mojej żonie Julie za miłość i wsparcie, zwłaszcza w tych trudnych chwilach, gdy gonią mnie terminy. Chcę też podziękować swoim bliskim, którzy od lat wiernie mi kibicują.

Dziękuję Charliemu Kochmanowi, który dba o każdą kropkę i każdy przecinek w moich książkach. A także całemu wydawnictwu Abrams, w szczególności zaś Michaelowi Jacobsowi, Andrew Smithowi, Hallie Patterson, Melanie Chang, Kim Lauber, Mary O'Mara, Alison Gervais oraz Elisie Gonzalez. Jak również Susan Van Metre i Steve'owi Romanowi.

Dziękuję niezrównanemu zespołowi zajmującemu się cwaniaczkiem: Shaelyn Germain, Annie Cesary i Vanessie Jedrej. Oraz Deb Sundin, Kym Havens i wspaniałej drużynie z An Unlikely Story.

Specjalne podziękowania należą się Chadowi W. Beckermanowi za świetny design moich książek i wieloletnią przyjaźń. A Liz Fithian za niesamowite wspomnienia z naszych podróży.

Dziękuję Richowi Carrowi i Andrei Lucey za to, że są niezawodni, Paulowi Sennottowi za nieocenioną pomoc, a Sylvie Rabineau i Keithowi Fleerowi za wszystko, co dla mnie robią.

I wreszcie po raz kolejny dziękuję Jessowi Brallierowi, na którego zawsze mogę liczyć.

O AUTORZE

Jeff Kinney jest twórcą serii książek *Dziennik cwaniaczka*, numeru jeden na liście bestsellerów „New York Timesa". Sześciokrotnie zdobył Nickelodeon Kids' Choice Award w kategorii Ulubiona Książka. Jest jednym ze Stu Najbardziej Wpływowych Ludzi Świata w rankingu „Time". Stworzył również www.poptropica.com, jeden z Pięćdziesięciu Najlepszych Serwisów Internetowych według „Time". Dzieciństwo spędził w mieście Waszyngton, a w 1995 roku przeniósł się do Nowej Anglii. Obecnie z żoną i dwoma synami mieszka w Massachusetts, gdzie razem z rodziną prowadzi księgarnię An Unlikely Story.

Wydawnictwo NASZA KSIĘGARNIA Sp. z o.o.
05-075 Warszawa-Wesoła, ul. Apteczna 6
e-mail: naszaksiegarnia@nk.com.pl
tel. 22 643 93 89

Sprzedaż wysyłkowa: tel. 22 641 56 32
e-mail: sklep.wysylkowy@nk.com.pl

www.nk.com.pl

Książkę wydrukowano na papierze
Creamy 70 g/m² wol. 2,0.

Redaktor prowadząca ***Joanna Wajs***
Korekta ***Magdalena Korobkiewicz***
Skład, redakcja techniczna ***Paweł Nowicki***

ISBN 978-83-10-13796-8

PRINTED IN POLAND

Wydawnictwo „Nasza Księgarnia", Warszawa 2022 r.
Druk: POZKAL, Inowrocław